D1529601

Roberto Merino

LUCES DE RECONOCIMIENTO

Colección Huellas

LUCES DE RECONOCIMIENTO
ROBERTO MERINO

© Roberto Merino, 2008
© Ediciones Universidad Diego Portales, 2008

Primera edición: septiembre de 2008
Inscripción en el Registro de Propiedad Intelectual n° 173.736
ISBN 978-956-314-040-8

Universidad Diego Portales
Dirección de Extensión y Publicaciones
Av. Manuel Rodríguez Sur 415
Teléfono: (56 2) 676 2000
Santiago – Chile
www.udp.cl (Ediciones UDP)

Edición al cuidado de Andrés Braithwaite
Diseño: Carlos Altamirano
Fotografía de portada: Miguel Ángel Felipe

Impreso en Chile por Salesianos Impresores S. A.

Roberto Merino

LUCES DE
RECONOCIMIENTO

Ensayos sobre escritores chilenos

EDICIONES UNIVERSIDAD DIEGO PORTALES

A mis hijos Clemente y Agustín

Si no existiera la imperfección, un defecto original en la base de la creación, ¿cómo se explicaría el impulso creador, el anhelo por satisfacerlo?

CARL GUSTAV JUNG

Si se desea aparentar que se conoce algo, el mejor método es conocerlo de verdad.

JAMES GEORGE FRAZER

NOTA PRELIMINAR

La escritura y el pensamiento son categorías de la experiencia cuyos decursos en ocasiones se unen con fluidez. Me gustaría que algo de esa transfusión fuera visible en las páginas siguientes. Todos los textos reunidos en este libro han sido originalmente posibilitados por compromisos externos. Me parece que el pensamiento es natural e instintivo, pero que su registro por escrito requiere de voluntad o de energía o de disciplina. Por lo mismo, así como otros escritores se fabrican sus rutinas sagradas, yo he apelado al súper yo del compromiso para escribir algo que no sean sólo notas al paso. En caso contrario no habría hecho más que dejar pasar el tiempo.

Me gustaría igualmente poder calificar a mis escritos como "elucubraciones", una palabra que deriva del latín *lux* y que en una de sus acepciones significa "trabajos realizados a la luz de las velas". No he trabajado, por cierto, con velas, sino junto a la lámpara, pero nunca con la serenidad ideal del hombre que escribe para sí mismo semisumergido en el círculo de luz que se proyecta sobre su escritorio, el cual parece protegerlo del mundo. Nunca he logrado en este trance dejar fuera las perturbaciones propias de la neurosis, de los problemas reales, de la incomodidad física, del exceso o de la falta de cigarros, de la presencia o de la ausencia del prójimo. En muchas oportunidades, también, he debido escribir en oficinas o en cafés-internet, luchando mentalmente para que la frecuencia de las risas y de la música no neutralice esa especie de ritmo callado que alienta en el fondo del pensamiento y de la escritura.

Aquí se encontrará una selección de textos sobre autores chilenos que he escrito en los últimos veinte años. En su mayoría fueron realizados para diarios y revistas de naturalezas muy distintas, algunos corresponden a prólogos de libros o a presentaciones públicas, y otros tantos han sido concebidos expresamente para esta recopilación. Los menos han aparecido en anteriores libros de mi autoría y han sido recuperados para funcionar aquí en un nuevo contexto. Se han dejado fuera los escritos de formato académico y aquellos cuyo entendimiento general se ve mermado por el uso del *lexicon* metalingüístico.

Por su estructura y su intención, los textos elegidos pueden ser considerados ensayos –en la medida en que este género se adapta a formatos disímiles y siempre cuenta a su favor con la inercia de la digresión–, pero a ninguno se le puede vincular con la crítica literaria. Siempre he preferido, al momento de escribir sobre literatura, presentar una lectura abierta antes que aventurarme en criterios de valor.

Con todos los autores seleccionados siento una especie de proximidad, ya se trate de poetas, narradores, cronistas o memorialistas. Esto no quiere decir que esté tratando de configurar un canon, ni siquiera un canon personal. Para cumplir un propósito semejante faltarían varios autores que estimo importantes, cuya ausencia se explica nada más que por la distracción y otras circunstancias comunes de la vida que nos sacan de los caminos trazados.

Muchos de los títulos originales han sido cambiados, y en algunos casos alterados los propios textos: he pasado de la revisión a la reescritura y de la reescritura al recorte y al pegoteo. En este proceso ha sido decisiva la conciencia del editor Andrés Braithwaite, quien se ha involucrado acuciosamente en el libro y lo ha pensado con una perspectiva más amplia que la que yo puedo aportar.

Agradezco a Andrés Claro, a quien hace años se le ocurrió que un libro como éste sería necesario y deseable. Agradezco también a Matías Rivas, quien, al incluir esta obra aún inexistente en el calendario de publicaciones de Ediciones Universidad Diego Portales, me puso nuevamente en la órbita del compromiso. Además, fue Rivas quien alguna vez me enseñó en forma indirecta que, sin desmerecer la claridad, no todas las frases que se escriben tienen que ser racionales y explícitas.

R. M.

I
VAGAS COINCIDENCIAS

RUMORES DE UN PAÍS DESHABITADO
APARICIONES DE GABRIELA MISTRAL

I

Los niños de colegio la invocan en sesiones de espiritismo y se asustan si creen verla aparecer. Hay quienes quisieran hacer de ella exactamente una lesbiana o una madre soltera, mientras el profesorado no da brazo a partir con el monopolio de su herencia. En Montegrande, en Vicuña y en Pisco –microcósmico separatismo– se disputan su partida de nacimiento. En Santiago, una efigie suya escalofriante preside el rincón menos conspicuo del cerro Santa Lucía. La escultura de Laura Rodig, dispuesta en un paraje menos visible del mismo cerro, aviva su memoria con algo más de sobriedad.

Hay que escuchar las grabaciones que Gabriela Mistral hizo de sus poemas para entender su remota aspereza. Edwards Bello le encontraba algo de judía en la nariz y en el repertorio de sus imágenes poéticas. Ella misma, lo dice en sus cartas, veía en los cordones andinos el lugar propicio para un sacrificio bíblico.

Es sabido que sus primeros años no fueron exactamente halagüeños. En el famoso Elqui –donde hasta hoy se cierran puertas y ventanas al paso del forastero– creían que era tonta y en el colegio la acusaron públicamente de ladrona. Cuando tuvo dieciocho años y comenzó a trabajar de profesora, "sufrió persecuciones y hostigamientos en el ambiente pedagógico".

La cuestión es que el valle natal y la patria real le fueron, llegado el momento, inhabitables. Entonces, premunida de un pasaporte diplomático, se echó "a rodar tierras". Ahí está, en una colina mexicana, viendo pasar a la distancia un desfile de cinco mil niños en su honor. O en el salón descascarado y vacío de una mansión napolitana, a la hora del calor, con las ventanas entornadas, tomando Coca-Cola en silencio y escribiendo sobre sus rodillas. O corriendo en Petrópolis hacia la casa de Stefan Zweig para comprobar con pavor que el amigo y su esposa se habían suicidado sobre la cama.

Dos anécdotas bien conocidas hacen su recuerdo menos trágico y más cotidianamente humano. La primera refiere su desesperación en un paseo en auto al cerro San Cristóbal: al parecer, el dueño del auto –un señor cuyo nombre la historia no retuvo– y Gabriela Mistral deseaban fervientemente estar solos, pero en el asiento de atrás llevaban al entonces adolescente José Santos González Vera, quien había llegado de visita en un momento poco propicio. La segunda involucra al pintor Roberto Matta: ambos se encontraron en Italia, y Matta –que tenía escasamente veintiún años– le declaró su amor de rodillas. La Mistral le dijo algo así como "ya, no sea ridículo", y cambió de tema.

II

Su nombre, que reúne la evocación de un ser alado y de un viento, se repite hoy por donde sea que uno vaya: calles, edificios, escuelas, una caja de compensación y una universidad privada le sacan todo el lustre que pueden. Su efigie al buril preside un no despreciable billete, el de cinco mil pesos, llamado "Gabriela" por metonimia. De ese modo, en la diaria transaca, la maestra simbólica pasa –por el rabillo del ojo– directo al subconsciente de cajeros, taxistas y comerciantes al detalle. Ése es, por de pronto, uno de los lugares donde habita.

Como figura emblemática, Gabriela Mistral pareciera completamente repatriada y en paz. De la ecuación entre su vida y su obra uno debería –con el matinal optimismo de los actos cívicos– extraer por lo menos un ejemplo. Pero, al margen de que su vida (como la de cualquiera) sería difícilmente ejemplar, basta una relectura de sus cartas y prosas para entender la incomodidad que nuestro país representaba para ella.

Su resentimiento no era social, sino nacional. Experimentó la no dorada mediocridad (*imperatrix mundi*, en todo caso) como una llaga que la hería personalmente. Las menciones de Chile que hace en sus escritos van habitualmente ornadas con alguna amonestación feroz. Es sabido que después del Nobel se le hacía cuesta arriba volver. Ibáñez la trajo en 1954, y fueron tantos los cócteles, los homenajes y la bullanga, que Alone describió la situación –glosando a Benavente– como "el ensayo general de sus funerales".

Pero parece que la cosa es así: a veces la gente es reacomodada por la historia en lugares relativamente impropios. Es una tergiversación habitual, acaso necesaria. La figura póstuma de los "poetas monstruos" es fabricada por el personaje colectivo, a imagen y semejanza de sus deseos y carencias. Por algo a De Rokha se le inviste con el mote honorífico de "el gran olvidado" en las innumerables ocasiones en que se le recuerda.

Cuando pensamos más de lo esperable en Gabriela Mistral, se nos viene encima el sentimiento del abismo en la medida en que en los detalles de su biografía encontramos cuestiones demasiado ajenas a nuestra vida actual. Vivió, como decíamos, moviéndose de un lado a otro, de manera que resulta difícil fijarle en propiedad algún lugar, como no sea una inestable patria "panamericana", un concepto por lo demás hoy día diluido entre otros sin mucha vigencia. En otros lugares debe ser aun menos entendible que aquí: Borges se refería a ella como "una superstición chilena".

Así, en todo caso, se acrecienta quizás su vocación de alma en pena, es decir, de fantasma. Cuando se piensa a sí misma caminando por Chile, lo hace "en fantasma" y en absoluta soledad. Esto lo adelanta en un "Recado sobre el maestro Juan Francisco González" y lo proyecta después en una obra concebida como mayor y publicada tras su muerte: el *Poema de Chile*. En él recorre a pie, como una chamana y de la mano de una niña chica, la geografía pura del país, sin habitantes. Otra idea parecida que Chile le inspiró fue un "pequeño mapa audible": un viaje de norte a sur a través de los ruidos de cada sitio. Este mapa ciego lo concibió para ser difundido por radio.

Su vuelo definitivo lo estuvo preparando desde muy temprano. Según Alone, se allanó la ruta a punta de cartas. Escribió desde siempre, en todo momento y a quien fuera. Así afianzó sus relaciones con una especie de masonería de profesoras (su casa dispersa por el mundo) y con gente de otras latitudes, que hablaba castellanos alterados y cuyos nombres en Chile parecerían pseudónimos.

En cualquier caso, no podría desvincularse su ausencia de lugar de sus dolores históricos, concretos. En la biografía de cualquier persona es posible encontrar humillaciones, despechos y ninguneos, pero nadie como Gabriela Mistral inscribió a fuego estos dolores en su piel. El asombroso rictus de su foto de juventud más conocida delata que fue precoz en ella este ejercicio espiritual.

En esa reproducción el suyo es un rostro sin melancolía, el rostro de alguien que no tiene tiempo ni espacio para holgar consigo mismo, un rostro inhabitable. Puede comparársele con las fotos más o menos contemporáneas de Teresa Wilms o Lily Iñíguez, personalidades exacerbadas y sensitivas, pero siempre un poco en el formato de la época, por lo tanto más comprensibles y más a nuestro alcance.

Hay que decir que mientras la Mistral escribía, la versión artística y febril del dolor estaba de moda entre las mujeres. Es cosa de leer al azar fragmentos de la revista *Selecta*, o aun de *Familia*. El tomo propagandístico *Actividades femeninas en Chile*, obra publicada en 1927 ("con motivo del cincuentenario del decreto que concedió a la mujer chilena el derecho de validar sus exámenes secundarios"), es instructivo en este sentido. Ahí aparece Gabriela Mistral entre varias escritoras cuyos nombres no ha querido retener la historia literaria. Pocos recuerdan hoy a la señora Clarisa Polanco de Hoffman y su novela *El abismo*, donde pinta "las horribles consecuencias del vicio de la morfina". Y olvidados están los versos de María Antonieta Quesne: "Déjame esta locura / sublime de quererte / que a veces me tortura / y es peor que la muerte".

Pero en el caso de Gabriela Mistral el dolor fue mucho peor que alada retórica, porque ejerció sobre ella una particular fascinación y lo presupuestó realmente en su vida. "Un día", escribe Alone, "le preguntamos por qué, habiendo conquistado esa suma portentosa de satisfacciones, en la cumbre del éxito, siempre se lamentaba tanto. Nos dio una respuesta freudiana. Dijo que el hombre sólo disfrutaba de verdadera alegría durante la infancia: las demás eran simples repeticiones y ecos de esa alborada celeste. Ahora bien, ella, en esa edad, sufrió demasiado, no conoció el paraíso. De ahí su perpetua angustia".

El paisaje soy yo
"Lagar", de Gabriela Mistral

Gabriela Mistral publicó *Lagar* –su último libro– en 1954, año también de su última visita a Chile. Dos de sus jóvenes admiradores de entonces, Enrique Lihn y Luis Oyarzún, han dejado testimonio de la recepción que le dio el público callejero santiaguino en la Estación Mapocho, frente a uno de los balcones de La Moneda, en la Alameda polvorienta de enero. Ella venía como una figura distante, irradiada por el prestigio del Premio Nobel, y parecía algo confusa y ausente. Hubo malos entendidos en los discursos que pronunció en la Plaza de la Constitución y en la Universidad de Chile. Lo concreto es que estaba enferma, y que los homenajes multitudinarios, académicos y gubernamentales la deben haber hecho sentir flotando en una burbuja de irrealidad.

La Gabriela Mistral publicitaria y oficial no tiene nada que ver con la escritora de *Lagar*. La madre simbólica, profesora alegórica de la infancia panamericana y augur de los designios de la tierra, es el decantado de una imaginación tan colectiva como ajena.

La celebridad puede muchas veces retardar la lectura de los textos de un autor, o enrarecerla en función de las necesidades y fantasías nacionales. En Chile, donde el éxito y el reconocimiento nos obsesionan, la obtención del Premio Nobel por parte de un conciudadano es argumento de sobra para levantar una efigie fabulosa, tan espléndida que nos cuesta entenderla en las esferas más concretas de la vida cotidiana y de la producción literaria. Es lo que pasa particularmente con la Mistral y con Neruda: cuando nos acercamos a ellos lo hacemos sabiendo que estamos frente a instrumentos de identidad antes que a escritores. Prueba de ello es que ante autores extranjeros igualmente premiados –Montale, Shaw, O'Neill, por ejemplo– no experimentamos esta suerte de reverencia previa y podemos disfrutarlos con entera libertad.

Un par de crónicas de Tito Mundt –publicadas en los días en que el cuerpo de Gabriela Mistral fue traído a Chile para su sepelio– nos advierte de este fenómeno. Mundt detecta cierta obscenidad en el masivo desborde y en el estado de homenaje permanente que parecía vivir el país. Todo era rebautizado por entonces con el apellido Mistral: clubes, radios, organismos. Había en todo eso una especie de sobreactuación del respeto y del agradecimiento.

Pero vamos a *Lagar*. La experiencia del mundo que trasuntan los poemas del libro es compleja –alerta, erizada, contradictoria– y el lenguaje en el que se manifiesta, si bien se estructura en la austeridad, en muchos momentos se hace incomprensible. Vale la pena detenerse en este punto: incomprensible para una lectura que reduzca el efecto de la poesía a la narratividad y al sentimentalismo. Hay, por cierto, un principio narrativo en estos poemas: una situación, un personaje, una serie de acciones; sin embargo, en los mejores ejemplos el modelo se abandona a medio camino. El lector sigue *cayendo* de un verso en otro atraído por la inercia de las palabras encadenadas en sus medidas y en sus ritmos, pero es probable que deba *renunciar a entender* para que el poema se le transfiera en su realidad emocional.

Como sucede cada vez que la poesía se hace presente, el lector se enfrenta aquí a una sensación simultánea de reconocimiento y extrañeza. Reconoce positivamente, por ejemplo, paisajes chilenos del Norte Chico, o cubanos, mexicanos y californianos: ha leído sobre ellos en otros lugares, los ha visto en documentales televisivos, en películas, o ha estado ahí: en medio de palmares rojizos al atardecer o en viñas rodeadas de un territorio reseco. Lo que se le escapa es la naturaleza de la voz que se los hace visibles de nuevo. Esos paisajes –que nuestra asumida ingenuidad asimila a zonas geográficas reales– aparecen fusionados con *el cuerpo de esa voz*, o escindidos de él, pero nunca de la manera neutra con que los describimos en nuestra vida cotidiana.

Describir un paisaje de una manera neutra es antes que nada un paso operativo destinado a hacernos llevadera la vida consensual. En el diario comercio, nadie mira los maizales con los ojos de Van Gogh, nadie da como referencia bosques serpenteantes –al modo agnóstico– ni habla de la muerte del mar en términos que excedan los del discurso ecológico. Nadie, tampoco, aplica en estos casos la deformación onírica. Las esferas de su yo y del paisaje están profilácticamente divididas, cada una en su sitio. Su interacción tiene límites definidos: no oscilan la una y la otra como entidades que jugaran a involucrarse físicamente y a separarse en un rapto violento. Esto último es lo que, en términos aproximados, Gabriela Mistral hace en *Lagar*. El yo de sus textos –si es que hay uno solo– está saturado de paisajes. Todos ellos, incluso los que se disfrutan por su pureza, están marcados (en el sentido futbolístico) por la sombra de la orfandad y el desvalimiento.

La poeta usa además el lenguaje común para dar cuenta de esta experiencia. Un lenguaje natural, diría ella, el de la conversación primitiva: sin retruécanos ni falsos temblores y desprovisto de una excesiva conciencia. Los arcaísmos y cultismos que hacen aun más misterioso este proceso los suponemos parte de esta naturalidad estética, en la medida en que serían sedimentos propios del habla campesina. No hay muchas ciudades en la poesía de Gabriela Mistral, si bien la persona real se movió de ciudad en ciudad. Es posible que ella haya querido restringirse a lo esencial y que identificara lo esencial con aquellos espacios librados a la indiferencia de su siglo.

Acaso el poema más popular de este conjunto sea "La bailarina". Habría que recomendar también la lectura detenida de "La otra" y de "Recado terrestre", que lleva el agregado anecdótico de haber sido traducido por Samuel Beckett al inglés.

Una vez que uno ha logrado familiarizarse con los poemas, da la impresión de que la autora tiende a construir un mundo personal, hecho de las ambigüedades de un ensueño en que se presentan –como si fueran residuos– objetos vistos en un momento remoto: utensilios domésticos o del campo, árboles, caminos. El personaje habitual de los textos –el yo que habla– siempre ha estado en movimiento trashumante. Un poema donde esta perspectiva es alterada –"Caída de Europa"–, escrito con el presente ante los ojos, deriva en la última estrofa hacia una apurada enumeración de elementos que se sugiere no disfrutar hasta que la guerra haya acabado. Se da cuenta de la guerra, en este caso, por lo que ha puesto en suspensión. Pareciera que a la Mistral le resultara más fácil enunciar la hierba, el aire, el vino, la hogaza, el mantel, antes que el realismo de las imágenes bélicas.

Lagar es un libro importante en el ámbito de la poesía chilena. A cincuenta años de su publicación, su densidad material no ha sido aun del todo desmadejada, ni su retórica superada por los inexorables cambios que nos acarrea el tiempo. Nunca fue, probablemente, un libro joven, y por lo mismo se ha librado de la obligación de envejecer.

Hervores y fervores de Vicente Huidobro

Cuando Vicente Huidobro murió, en el verano de 1948, mucha gente pensó que se trataba de una invención del poeta. Incluso hubo algunos que lo vieron salir de una farmacia en Ñuñoa.

La explicación no es difícil: la vida de Huidobro, de una vertiginosa intensidad, se colmó de episodios fabulosos, un poco propiciados voluntariamente por él mismo, un poco puestos a su paso por el destino. La realidad –como se infiere de sus manifiestos creacionistas– era para él una sustancia maleable. Luego, no había obstáculos para decretar la descendencia en línea directa del Cid Campeador y de Alfonso el Sabio. Ni para adelantar –embriagado por las "vanas cronologías"– la fecha de publicación de un libro y disputarle así la paternidad del creacionismo a Reverdy. Ni para simular un secuestro que puso, hacia 1930, de bruces a la diplomacia francesa y a la británica. O para arrancar el teléfono de Hitler de su escritorio en el búnker.

El escritor Fernando Santiván tiene unos recuerdos muy nítidos de Huidobro cuando todavía se apellidaba García-Huidobro. Lo vio aparecer en carruaje con lacayo por su Librería Balzac, en la Alameda cerca del cerro. Era un muchacho devoto, de oscuros ojos luminosos, recién salido del San Ignacio. Quería leer a los escritores modernos, "pero no a pornógrafos como Zola, Huysmans, Anatole France o Blasco Ibáñez" (todos maestros de Santiván). Era fervorosamente católico, casi clerical, y ya había publicado un pequeño libro con poemas a la Virgen María, muy distantes de su aéreo *Altazor*. Asimismo, su matrimonio con Manuela Portales Bello era un modelo resplandeciente para la sociedad santiaguina.

Después vinieron los rituales viajes a Europa (hacia 1918 fue recibido con ansiedad en España por Cansinos Assens y sus contertulios ultraístas); la guerrilla literaria; la conversión al comunismo; la publicitada amistad con Apollinaire, Picasso, Hans Arp; la fuga novelesca con Teresa Wilms a Buenos Aires; la expulsión del palacio familiar, que hasta 1980 estuvo en la esquina norponiente de San Martín y Alameda; la campaña presidencial (no exenta de balaceras y golpizas); los sucesivos matrimonios.

De "los cuatro grandes" de las letras chilenas, Vicente Huidobro es acaso el más infantil y el más humano en sus equivocaciones y sus aciertos. Nació el 10 de marzo de 1893. Su tumba es un sitio de peregrinación en la decaída Cartagena.

Padre hay uno solo
"El diario de Alicia Mir", de Vicente Huidobro

Vicente Huidobro publicó su novela *Papá o El diario de Alicia Mir* en el invierno de 1934, bajo el módico sello editor de su amigo Julio Walton, poeta y librero de tendencia revolucionaria que por esos días formaba parte del grupo de jóvenes cercanos al maestro creacionista. La obra apareció con un par de breves comentarios –uno de Alejo Carpentier y otro del propio Walton– y fue entendida en su momento como una novela en clave, que enmascaraba aspectos de la separación de Huidobro con su esposa –Manuela Portales Bello– y el consiguiente abandono de su familia.

Es evidente que esta lectura segunda se dio a un nivel extremadamente local y que de ella no quedó mayor registro por escrito. Como sucede siempre en estos casos, sólo los ecos del rumor alcanzaron la página impresa. Un comentario de Eduardo Anguita, publicado en el diario *La Opinión* en agosto de ese año, refuta veladamente una versión semejante. A su entender, uno de los malentendidos importantes en la recepción de la obra consistió en "el desplazamiento del protagonista Alejandro Mir hacia el autor de la novela, Vicente Huidobro, real y cuotidianamente en vida".

El subgénero de la novela en clave –si lo hubiere– pertenece más que nada a la tradición oral de los grupos involucrados, es decir, a su chismografía. Saber hoy día que el personaje de Martín Rivas lo tomó Blest Gana de un joven Barceló importa apenas a los descendientes directos del modelo y a los excavadores de la intriga genealógica. Contaba Enrique Lafourcade que alguna vez el crítico Raúl Silva Castro le confesó que había descifrado por fin las claves ocultas en *Casa grande*, la obra de Luis Orrego Luco, recibida con escándalo por la sociedad santiaguina de las inmediaciones del centenario. No sin cierta emoción en la voz, Silva Castro leyó uno a uno los nombres de los involucrados. Eran fantasmas. Habían pasado cincuenta años y el reconocimientos a esas alturas se volvía difícil. Más vivo, más notorio en la memoria del lector atento seguía por cierto Ángel Heredia, el personaje propiamente ficticio.

En verdad la novela de Orrego Luco fue leída con irritación en esa época de fiesta generalizada que Joaquín Edwards Bello denominó "el tiempo gordinflón", con banquetes-monstruos presididos por papadas históricas, donde el consumo de champagne francés llegó a preocupar incluso a los productores franceses. En Papá Gage, en el Club Santiago o en el restaurante ("estilo chalet suizo, encantador") del cerro Santa Lucía –y entre risas congestionadas por el humo espeso de los Joutard–, mal se oía el bullicio sordo del bajo pueblo ensombrecido. Fue sin duda un período feliz, a juzgar por sus memorialistas, pero las ligazones que mantenían unida a esa sociedad dirigente estaban cediendo por un lado o por otro. Joaquín Edwards Bello hace un cuadro notable del dichoso año diez: "Santiago era una ciudad pequeña y agradable. El *dolce far niente* no sacaba pica. Podíamos estacionarnos en la vitrina de Helfer (hoy muerta) y fumar puros sin que los cesantes nos llamaran oligarcas. No había cesantes. A la sirviente la llamaban sirvienta y a las enfermedades venéreas por sus nombres y no 'de trascendencia'. Cada cual vivía como quería y no estaba el país inficionado de literatura, de masas y de masa por aquí y de masa por allá. En cambio el pan era mejor. Había harinas y masas excelentes". No obstante, el oscuro profesor Venegas –doctor Valdés Cange fue su pseudónimo– acababa de imprimir un volumen de cartas para el presidente Montt que contenía un detallado inventario de acusaciones públicas. En las amarillentas páginas de ese libro encuadernado en rústica, Chile aparece más bien como un espejismo africano, anegado de insalubridad, negligencia, analfabetismo y mortalidad.

Según anota Fernando Santiván, por ese tiempo la mayor parte de los éxitos literarios del país se debían a la posibilidad de su lectura en clave. En la novela de Orrego Luco se vio a todas luces un drama específico ocurrido años antes, que culminó con una hermosa dama santiaguina asesinada por su propio esposo en un palco del Municipal. El mismo Orrego señaló posteriormente que durante un tiempo estuvo de moda creerse retratado en *Casa grande*. El éxito fue para él, en todo caso, simultáneo a una suerte de proscripción social: "Me llovían los ataques, en pos de las alabanzas me insultaban, me calumniaban, me formaban escenas en los bailes… Ayudaban a la acción perturbadora la innegable realidad de algunas anécdotas, de muchas frases y de no pocos perfiles cogidos del medio ambiente… Bastaron algunos perfiles verdaderos y algunas escenas reales para dar a *Casa grande* tal vibración de vida, que muchos creyeron ver cosas que yo no había pintado y la maledicencia completó la obra de perturbación horrible y para mí desesperante".

Por esos mismos años, Francisco Hederra, un autor talquino, cuyo nombre no ha trascendido mayormente, dio también en el blanco del escándalo, esta vez en provincia. Publicó una novela con un título casi de Henry James –*El tapete verde*– y la polvorienta Talca ardió como la yesca. En su libro mostraba con algún realismo aspectos de la sociedad local incómodos para la autoimagen de las principales familias de la zona. Hederra fue puesto en el ojo de una polémica intensa, que concluyó con un banquete de desagravio para los ofendidos por su pluma.

Más significativo es el caso de Joaquín Edwards Bello y su novela *El inútil*, aparecida en septiembre de 1910, cuando el escritor tenía recién 23 años y junto a sus parientes Arturo Lamarca y Andrés Balmaceda –todos bisnietos de Andrés Bello– conformaba un grupo de petimetres impecables y bullangueros que apuraban el día en uno de los tres automóviles que existían en Santiago. De un día para otro Joaquín desapareció: lo encontraron encerrado en un hotelucho del Portal Edwards, inmediato a Chuchunco, redactando *El inútil*. A los diez días de aparecido el libro, recuerda, "me sentí héroe de la más diabólica celebridad. La mitad del público me repelía. La otra mitad me aplaudía. No he vivido nunca para la opinión pública, pero fui sensible al vacío social que me hicieron entonces. Era inocente. No pensé en clave, pero me traicionó la imaginación". La obra, si bien el propio autor le restó méritos literarios, contiene una escena final memorable por la violencia: el protagonista, abdicando de los argumentos con que solía fustigar a su clase de origen, termina uniéndose en la Alameda a los grupos de jóvenes armados que salían a defender la ciudad de los desbordes del pueblo aleonado.

De cualquier modo, la novela fue pésimamente recibida. En ella era posible identificar a "las beatas y los figurones tales y cuales, el pillastre que tú conoces, el pije engominado que comulga dos veces al día" y a otros ejemplares de una fauna que por entonces tenía como escenario las calles del centro: un mundo que cuidaba su cohesión mediante el escrutinio de la mirada, realizado en dos paseos diarios por la calle

Huérfanos y que excluía a los elementos exógenos aplicando el gélido "cómo le va" nacional. Es más: cuenta Eduardo Balmaceda Valdés que en la casa de la familia Larraín García Moreno se instruía a los niños –en vísperas de su entrada en sociedad– sobre cómo discriminar en sus futuras relaciones. Para ello se daba a leer *Mayorazgos y títulos de Castilla*, de Domingo Amunátegui Solar, con la sugerencia de no aceptar a quienes no aparecieran en sus páginas. Son detalles que hay que considerar, en todo caso, con humor: se trata de pequeñas exageraciones ilustrativas del tono vital de "un mundo que se fue", para usar el título de las memorias de Balmaceda.

Una vez salido *El inútil*, las sanciones contra su responsable no se hicieron esperar. Había publicado un libro, al decir de Enrique Bunster, "amargo y voraz en que decía zamba y canuta a la sociedad santiaguina, en que no dejaba títere con cabeza, en que vapuleaba a su propia familia. Algo nunca visto hasta entonces, porque no es lo mismo atacar a la aristocracia desde los bajos estratos sociales, desde las barricadas del resentimiento y la envidia, que dispararles desde el centro de sus castillos como lo hacía este privilegiado del linaje y la fortuna".

La cuestión es que Edwards Bello debió continuar refugiado en su hotel para aguantar el chaparrón y luego sacar pasajes a Rio de Janeiro. A su regreso, tres meses más tarde, aún se le hacía notar el malestar con vacíos y quitadas de saludo. El diablo –según escribió después– se había metido en su pluma.

Otra obra que por entonces se intentó leer a través de sus claves biográficas fue *La sombra inquieta*, el languidecente diario del joven Alone, en el que los parques arbolados, de cargadas atmósferas, y los tenues interiores servían de escena para su mentado amor –del tipo platónico– por la harto atractiva Mariana Cox Stuven. Como Teresa Wilms y como Lily Iñíguez Matte, Shade –ése era el pseudónimo de Mariana Cox– correspondía a una sensibilidad exacerbada, muy fin de siglo, con ansias permanentes de infinito o de belleza. Parece que después de la muerte de su primer esposo –"un cataclismo nupcial"– tuvo un amor incorpóreo en las floridas soledades de Quillota. Eso fue lo que la gente trató de descifrar de su novela *El remordimiento*, con la especificación de que el amante podía ser un ingeniero conocido. Como no hallara toda la satisfacción esperada, el público desdeñó su segunda publicación, de título harto sugerente –*Vida íntima de María Goetz*–, que también venía con rumor de claves.

Tomás Gatica Martínez, por su parte, fue un autor profuso en novelas de índole social. Según Salvador Reyes, se trató del único cultor del género mundano en la narrativa chilena. Sus títulos son delatores: *Gran mundo, La cachetona, Los figurones* y *Fifí, romance de una señorita bien.* Hay libros suyos que traen comentarios incorporados en cuadernillos anexos: elogios de Blasco Ibáñez, de la condesa Pardo Bazán, de Alone, de Omer Emeth, de Edwards Bello, de Daniel de la Vega y de Orrego Luco, por mencionar algunos. A pesar de ello, sus obras permanecen hoy en el metafísico recinto de la no lectura absoluta. Su novela *La Adelita* –por cierto, en clave– es, sin embargo, harto interesante. Cuenta la vida de la francesa residente Adela Coussirat, "la embajadora del Ideal", una *demi mondaine* auténtica adorada por la claque masculina y execrada por las mujeres.

Cumpliendo a la perfección su rol un tanto aislado, nunca oficial, tuvo salón y puso algo de refinamiento en las costumbres locales. Cuando murió Adela Coussirat, alguien aseguró que si llevaran luto todos los que la conocieron, medio Santiago iría de negro, y Edwards Bello –de nuevo Edwards Bello– hizo un sentido reclamo: Adela Coussirat era ligera y daba bien de comer. En cambio, a veces nos invita un figurón docto, nos habla del cambio monetario y nos hace tragar un vinagrillo detestable".

Como se ve, cuando Vicente Huidobro publicó *El diario de Alicia Mir* ya había un entrenamiento de años en la búsqueda y decodificación de infidencias literarias. Él mismo –ya hacía más de una década– había consternado a medio Chile con el rapto de Teresa Wilms desde un convento cercano a la Plaza Brasil, y las infidelidades de Teresa, sus excentricidades y su voluntario camino de autodestrucción estaban ya disfrazados en un libro: *Desde lo alto,* firmado por su viudo, Gustavo Balmaceda Valdés.

La novela de Huidobro está –como se sabe– narrada por una niña de dieciocho años. Su tema central es la figura espléndida de un padre –artista célebre– amado sin restricciones por Alicia y admirado desde cerca por un grupo de discípulos y desde mediana distancia por misteriosas mujeres –una de ellas de nacionalidad rusa– y otros entusiastas. El conflicto subsidiario radica en la imposible relación del escritor con su esposa, satirizada como la Reina Kui-Kui o la Perfección, que vive entre un cuarto de costura y un *hall* complotando con una corte de incondicionales: un grupo de personas asustadizas, hipócritas, incomprensivas. La pregunta que recorre la novela –entre otras referentes a la teología, la biología y el destino de la humanidad– es si un hombre superior como Alejandro Mir puede ser sometido a las simples convenciones de la vida en familia. La esposa tratará de probar no sólo que puede, sino que debe hacerlo. El fracaso está, para ella, asegurado. Alicia Mir funciona como una especie de conciencia favorable en todo momento a las iniciativas paternas –algunas de ellas escalofriantes– y sancionadora de las maternas.

El amor de Alicia por Alejandro Mir tiene a ratos el carácter de un manifiesto y revienta cualquier esquema psicológico sobre el complejo de Electra. Suele aparecer como un delirio cósmico en que la figura del padre es una constelación trascendental. Esto añade curiosidad a la obra y asegura finalmente su lectura: uno se obsesiona por averiguar cuáles son los límites de esta admiración y parece que no los encontrara nunca.

Huidobro tuvo la propicia intuición de poner estas materias de alta densidad en el formato del diario de vida de una niña, lo que le da al libro un suficiente respiro confesional. Es curioso, en este sentido, que careciendo de enganches narrativos reconocibles, *El diario de Alicia Mir* se lea rápido y bien. La figura estelar del señor Mir ocupa todo el espectro novelesco. Los personajes carecen de rostro y habitan una casa fantasmal sin formas definidas. Carecen también, si se quiere, de psicología. Más bien se definen por su mayor o menor proximidad a las disciplinas del espíritu, donde campea la poesía como ciencia suprema. La ciudad misma es una suerte de espacio vacío, consignado a veces por uno que otro nombre: el pabellón del cerro, el Parque Central, el sector alto.

Leído desde el punto de vista de sus claves supuestas, *El diario de Alicia Mir* se hace bastante inverosímil, a pesar de las tentaciones iniciales. Hay que hacer un esfuerzo para identificar al Huidobro histórico –aun con su megalomanía, sus arranques paranoicos y su ego visible– con el irreductible protagonista de la obra, que no podría corresponder a ser humano alguno. Alejandro Mir jamás expresa una duda: tiene confianza en la creación, en la palabra. El mundo se le da en todo momento con impresionante solidez. Se abanica con sus enemigos, es magnífico ante las bellas mujeres que se le acercan hipnotizadas y además se da tiempo para brindar "amor al proletario". Por otro lado, es inconciliable la imagen de la Reina Kui-Kui, prosaica hasta la insolencia, castradora y sadomasoquista, según más de algún crítico, con Manuela Portales, la bisnieta de Bello, de quien su primo –el muy citado Joaquín Edwards– escribió en 1948: "Manuelita nació predestinada. Los poetas la adoraban a primera vista. No se podría concebir espíritu mejor dispuesto y cabal de joven esposa para un hombre impresionable en extremo, sediento de gloria y de infinito".

La novela de Huidobro no pasó inadvertida tras la publicación. Un crítico, que respondía al pseudónimo de Ariel, la trató con cierta objetividad bromista en una columna de *La Nación*. Habló de un caso de egolatría doble o triple narrado con estilo ágil, lo que haría interesante al relato "si no fuera por el exceso de sentencias que papá pronuncia y la hija recoge incansablemente. Ese hombre es una máquina de hacer frases, un oráculo a lo Victor Hugo, y lo que sorprende no es que su mujer lo halle insoportable al cabo, sino que otras hayan podido tolerarlo".

Pero el centro de la discusión en torno a la obra se dio en el plano psicológico. Se trenzaron amablemente –a través de las páginas de *Zig-Zag*– el doctor Ramón Clarés (quien abrió los fuegos relacionando la novela con "la psicoanálisis", como se decía en la época) y Carlos Tannenberg, quien se animó con algunas objeciones al texto del especialista. Ambos son favorables a la obra en cuestión, incluso al personaje central. El doctor Clarés añade consideraciones que refuerzan las predicadas virtudes de Alejandro Mir, aunque es dudoso que puedan ser enunciadas en la intimidad de una consulta: "Cuando se nace premunido de una recia envergadura tipológica, cuando viene ardiendo en la entraña la estrella misma del destino, el diálogo entre el hombre y su paisaje cobra acento polémico y desbarata todo entendimiento, cuando no consigue imponerse ni infundir sus signos en la conducta de los demás. Es decir, en tal caso, el individuo –hombre o mujer– está entero subordinado a un motivo cósmico, a un determinismo prepotente que traza su tipo y su dinámica más allá de toda esa línea limitadora. No

puede, entonces, someterse la expresión al diálogo del catecismo pre-
ceptivo ni a las reglas del uso gramatical. Constituye, así, el hombre un
fenómeno escandaloso, deslumbrador. Santo o perverso, bueno o malo,
su calidad consiste en la pasión". Ni escrito por el mismo Huidobro.

Por último, un par de alcances peregrinos a partir de *El diario de
Alicia Mir.* Ya antes (*Lo que Maisie sabía*, 1897) un Henry James maduro
había centrado en la mirada de una niña la progresiva separación de sus
padres. La novela está, por cierto, en las antípodas de Huidobro, pero
coincide con ella en hacer pasar una historia de adultos por el prisma
de la mirada infantil o juvenil. Otras coincidencias extrañas: muchos
relatos de James están consagrados a las figuras del artista célebre y sus
admiradores: lo vemos en *El guante de terciopelo*, lo vemos en *La edad
madura*, lo vemos en *La figura en el tapiz*. Sus conclusiones son, como es
notorio, muy diversas: más desencantadas, más melancólicas, más dis-
cretas. Pero éstas no son más que simples relaciones.

Eduardo Anguita, poeta puntiagudo

Aún conservo el ejemplar de *La Segunda* del 12 de agosto de 1992, donde se anuncia en primera plana la muerte de Eduardo Anguita. Esta súbita notoriedad se produjo no por el hecho de que él fuera un poeta popular, sino por el accidente que le causó la muerte: una caída sobre la estufa. Anguita había ganado algunos premios desde finales de los años setenta, pero su fama no excedía el círculo de los escritores.

Se divulgaron entonces algunas de sus peculiaridades, sobre todo su empeño en el aislamiento durante los últimos veinte años de su vida. En su departamento de MacIver con la Alameda, apenas abría la puerta al junior que todos los días le subía el almuerzo. Al parecer el silencio se había "estagnado" en él, y supongo que también la angustia y la sensación de pérdida del sentido.

Un departamento de hombre solo es algo así como una confortable caverna, donde el mundo del que nos resguardamos podemos contemplarlo a través de la ventana. Y cuando llega la noche, cuántas imágenes de la vida se vierten sobre la mente en el insomnio, inconexas como si se estuvieran *reseteando* ante la inminencia de la muerte.

¿Qué vería Anguita en el caso de que se asomara a la ventana? Supongo que la plaza del costado de la Biblioteca Nacional, el gentío de los paraderos de micros, los perros vagos, las palomas que diariamente abonan la cabeza de la estatua de Barros Arana. En todo caso, no le importaba demasiado la naturaleza y además sufría de agorafobia. Ya no tenía por entonces el Fiat 600 que alguna vez había calificado como "mi única entretención".

Anguita insistió mucho en el tema del sentido. De hecho, consideraba que la escritura de la poesía le daba sentido al mundo a instancias de la inspiración, ese estado que él experimentaba como borramiento y mudez.

Carlos Ruiz-Tagle contó que cuando Anguita publicó *Venus en el pudridero* una niña le preguntó qué significaba "pudridero". Y que cuando publicó *El poliedro y el mar*, la misma niña le preguntó qué significaba "poliedro".

No son preguntas descartables. El propio Anguita explica en su libro qué es pudridero: "Cámara en que se depositan los cadáveres de los reyes, en El Escorial, antes de ser trasladados a su sepultura última". Y ya sabemos que el poliedro y el mar es una imagen extractada de *Melancolía I*, el famoso grabado de Durero. Y también sabemos que, en el frontis de su academia, Platón había puesto un curioso letrero: "Que no entre a este recinto el que no sabe geometría".

Eduardo Anguita fue un poeta melancólico y una especie de platónico al revés. Propició una poesía metafísica, que llamó "intelectual", en la cual, aventado por la persecución de las ideas, procedió con el detallismo de un nominalista. Da la impresión de que en esos textos vemos el modo en que el pensamiento vive en los objetos. Y son estos últimos los que nos quedan como remanente de la lectura: los prados nocturnos, los duraznos de una tarde silenciosa, el sol del amanecer y el sol del ocaso, una mano fustigada por una llama.

Creo que es muy difícil circunscribir conceptualmente la poesía de Eduardo Anguita. Su seducción trabaja sobre la lectura directa, más allá o más acá del entendimiento racional. Una vez un periodista le mencionó al poeta que sus textos eran para una elite, y él ratificó esta apreciación, añadiendo que lo suyo era poesía moderna y que para enfrentarla el lector debía condicionarse de algún modo.

Esa conversación se dio hace cuarenta años, cuando aún la idea común de poesía se reducía estrictamente al modernismo decimonónico. Hoy día cualquiera sabe que no hay por qué entender la poesía en un sentido literal, expositivo. No hay que pertenecer a ningún club de elegidos para enfrentarse a un poema y disfrutarlo por sus imágenes, sus remanentes e incluso por lo que el poema no dice pero insinúa.

Publicada en 1960, *Venus en el pudridero* sigue siendo una obra sorprendente. En ciertos momentos recuerda al Eliot de *Cuatro cuartetos*, en otros a la propia vinculación juvenil de Anguita con el surrealismo, pero ninguna de estas remisiones agota su escritura o la invalida. En las resonancias de sus frases se manifiesta a veces el recuerdo de otros autores, los mismos que aparecen señalados en las notas de la última página: Heráclito, Séneca, Quevedo, Manrique, el mismo Eliot. Todos ellos han hablado particularmente sobre la fugacidad y sobre la irrealidad de todos los días.

Un misterio de primera mano en el caso de este largo poema es por qué el vocativo español –"pensad", "sabéis", etcétera– no logra que cerremos el libro y posterguemos su lectura indefinidamente. Son palabras antipáticas para cualquier lector sudamericano, en la medida en que parecen tomadas de las escenas solemnes de una película de reconstrucción histórica. Sin embargo avanzamos de un verso a otro. Cada verso sucesivo nos llama como una cadena de ecos entre las montañas.

Anguita siempre va por los bordes: está a punto de ser kitsch y no lo es jamás; cuando anuncia una ingenuidad, lo que sigue es un verso deslumbrante, que nos produce un cierto escalofrío. A veces utiliza expresiones que pueden parecer altisonantes o temerariamente abstractas, pero las alterna inmediatamente con otras de neutra cotidianeidad, como "entusiasmo" o "desánimo".

Alguien me propone que su veta kitsch debe estar vinculada al ejercicio de la publicidad. Puede ser: su famoso eslogan de la lapicera Parker –"se llena sola, como la luna"– es técnicamente una greguería, y se sabe que escribió greguerías en su juventud. Las greguerías son un legado de ultraísmo español, efectismos del ingenio camuflados en imágenes poéticas.

Acaso el más conmovedor de los poemas de Anguita es el que escribió cuando murió Huidobro: "Mester de clerecía en memoria de Vicente Huidobro". Son versos realizados en cuaderna vía, es decir, alejandrinos de rima consonante, un poco monótonos, propios de la antigua poesía narrativa española.

¿Por qué el cultismo en el momento de la pérdida? ¿Por qué el anacronismo para marcar ese "presente único" de la emoción? Como sea, en ese texto no hay palabras que falten o que estén de más. No es la primera vez que un poeta, para dar cuenta de un episodio doloroso, recurre a un modelo remoto o extremadamente literario. Se trata quizás de una condición ineludible de la creación poética: el dolor atemperado, distanciado, desdoblado.

Algunos cronistas han recordado el rostro "puntiagudo" de Eduardo Anguita, su figura incómoda, la molestia del traje y también una risa tronante que no correspondía a su cuerpo. Alguien, algún día, tendría que estudiar su bigote, esa huella gráfica del tiempo del bolero que, insistente a través de los años, podría corresponder a una voluntad de camuflaje y desaparición.

LAS LECHUGAS DE NICANOR PARRA

Los aniversarios de los nacimientos o de las muertes de escritores traen una obligación un poco incómoda: la de pensar de otra manera –de una manera más rimbombante y pública– lo que uno quizás preferiría pensar en privado. Implican además –según la conocida anécdota de Borges– "un entusiasmo excesivo en el sistema métrico decimal". Llama la atención, en este sentido, que hoy estemos sumidos en dos festejos muy distintos: el virtual centésimo cumpleaños de Neruda y los noventa años de Nicanor Parra.

Hay una relación evidente entre ambos autores. Durante mucho tiempo Parra demoró la publicación de *Poemas y antipoemas* porque no los sentía listos para enfrentar el dominio absoluto que la figura de Neruda ejercía en la poesía local. No obstante, el propio Neruda fue uno de los primeros lectores y admiradores de esta obra. Parra finalmente publicó el libro en 1954, y en el mismo momento apareció el primer volumen de las *Odas elementales*.

No podría haber dos libros más distintos, a pesar de la equívoca adscripción de ambos autores al uso del lenguaje común en la poesía. No se trata, en el caso de Parra, de una simplificación del vocabulario y de las ideas. Si escribe sus poemas con el lenguaje de todos los días –llamado también de la tribu, o de la calle–, lo que hace en forma predominante es poner en escena sus mecanismos: oblicuidad, sugerencias veladas, la facultad de dar a entender antes que decir. En Parra la chilenidad es estructural; en Neruda, una celebración didáctica. Neruda –aun en sus obras finales– sueña con oleajes gigantescos, extensiones planetarias y materias orgánicas subterráneas; Parra, alentado por el "humor metafísico" de Kafka, piensa "en unas lechugas vistas el día anterior", lo que no es menos abismante y misterioso.

Como sea, hoy miramos a Nicanor Parra en el espejo de sus noventa años y la imagen que proyecta es la de un hombre histórico. Para los poetas chilenos se localiza aún como una referencia inevitable, como un hecho de la realidad, como una constelación que hay que tomar en cuenta antes de cualquier intento de embarque. Para los periodistas es algo así como un oráculo del que se esperan excentricidades sentenciosas.

Decía Cristián Huneeus que la palabra clave de Nicanor Parra era "hoy". Claro: esto no es visible sólo en su conciencia de vivir el presente, sino también en el ímpetu con el que habla de sus descubrimientos ideológicos y literarios, sin importarle si éstos suenan o no tardíos. Parra habla, alternativamente y sin relatividades, de la ecología, del videoclip, de Macedonio Fernández, de Portales, de Shakespeare, y pareciera estar hablando del universo entero y de la historia.

Escribiendo esta nota me he acordado de una visita que le hice a Parra –medio de colado– una tarde hace más de veinte años, en su casa de La Reina. No fue una visita memorable, pero sí recuerdo haber percibido en ese lugar una mezcla de domesticidad acogedora y de tendencia al absurdo. Había olor a leña, canastos con manzanas verdes y membrillos, y en una de las murallas dos portadas de *La Segunda* con títulos que al poeta le resultaban significativos: "Se suicidó Laura Allende" y "Baleado el Papa".

Parra hacía –cosa que parecía en él muy natural– un poco de teatro con sus desencuentros con la vida práctica. Mostraba, me acuerdo ahora, una carta de reclamo que había enviado a un diario, cuyas páginas no numeró convenientemente, de modo que al ser publicada pareció escrita por un demente. También en esa ocasión fue víctima de un latero telefónico, que se tomó más de media hora para explicarle algo poco interesante. Parra colgó al final en medio de todo tipo de gesticulaciones, alegando que no sabía decir que no, que podían tenerlo pegado al teléfono durante una semana.

A VOZ EN CUELLO
NICANOR PARRA Y EL CRISTO DE ELQUI

Es parte de nuestra condición experiencial el hecho de que los cambios generales de la vida se nos aparezcan gradualmente, o incluso inadvertidamente. Desde 1972 hasta el día de hoy –por poner un ejemplo–, yo percibo un continuo en mi relación con el mundo. Sólo al revisar antiguos diarios o filmaciones se me hace evidente la brutalidad de los cambios: esas fachas, esos autos, esas palabras, esas atmósferas: qué extraño se ve todo con la perspectiva de lo actual.

Miraba ahora *La vuelta del Cristo de Elqui*, de Nicanor Parra, y pensaba en las fechas de aparición de los sucesivos libros que conforman esta recopilación: 1977, 1979, 1983. Años dictatoriales, por cierto, desde la mínima mejoría del 77 al remezón del 83.

Si hay algo que ha cambiado desde entonces es el lugar social de la palabra. La palabra operaba en ese momento en un círculo electrificado. No sólo por las consabidas coerciones de los aparatos de censura o represión, sino también porque había menos espacio para ella. En el plano de nuestras comunicaciones, había más zonas en blanco o en silencio. Se entenderá que no existía internet, ni cable, ni celulares. Ni blogs, ni fotologs, ni foros virtuales, ni la profusión de signos que hoy nos pinchan los sentidos como el martillo de un telégrafo.

"Tomarse la palabra", por tanto, era un hecho significativo, notorio. Y esto es lo que hace el Cristo de Elqui. La escritura de los poemas de Parra corresponde, como se sabe, al habla del predicador. Los años setenta y los comienzos de los ochenta fueron, para la poesía chilena, una época de voces dramáticas. Las utilizaron Zurita, Diego Maquieira, Rodrigo Lira. Además, Lihn creó al energúmeno de "Ciertos sonetos" y optimizó a Gerardo de Pompier.

Los poemas de *El Cristo de Elqui* fueron leídos en esos años en clave política. Se hablaba de la oblicuidad de la significación. Aunque en los textos se mencionaran sucesos ocurridos en los tiempos de Ibáñez, se contaba con la proyección que hacía el lector hacia su propia actualidad.

Esa lectura de primera mano ha desaparecido en nuestros días y los poemas siguen ahí. El hecho de que se hayan reeditado indica que hay cierta necesidad en el aire de releerlos, a pesar, como le achunta Alejandro Zambra en el prólogo, de que no los entendamos del todo. Yo diría algo más: es la poesía la que no se llega a entender cabalmente jamás, si bien no basta redactar algo que no se entienda para escribir poesía.

Los inefables sedimentos de poesía hacen actuales a estos textos de Parra, no la contingencia de cualquier período. Y poesía, en su caso, vendría a significar algo así como *la palabra en acción*: la puesta en escena de un discurso que es, en relación al inconsciente, como la punta del iceberg o la puerta entreabierta del sótano.

La primera ancianidad de Enrique Lihn

Hablé por primera vez con Enrique Lihn un anochecer de verano en el Parque Forestal. Habíamos llegado ahí vagamente atraídos por unos conciertos al aire libre que solían organizarse por entonces en la parte posterior del Museo de Bellas Artes. Para un presunto poeta de diecisiete años, el acercamiento personal a un poeta mayor y admirado tiene la mayor relevancia biográfica. Por eso mantengo nítidos en la memoria los detalles de ese remoto encuentro casual.

Conversamos sobre Rodrigo Lira, al que Lihn acababa de otorgar su voto en un concurso de poesía de la revista *La Bicicleta*, pero sobre todo, recuerdo, gastamos el tiempo observando a Víctor Tevah, que en ese momento dirigía la Orquesta Filarmónica de Santiago en el escenario. Lihn decía que cuando estaba en el colegio solían llevarlo obligado a los conciertos de Tevah y que su apariencia era exactamente la misma: en cuarenta años no manifestaba signos visibles de envejecimiento. Aparecía, por tanto, a sus ojos, como una suerte de Dorian Gray, constatación hilarante, a despecho de la respetabilidad del músico.

Eugenio Dittborn destacaba –en una nota semiprivada que envió a Adriana Valdés– la utilidad que habían tenido para él ciertas reuniones sin destino que efectuaba con Lihn, al vuelo de la pura amistad, en las tardes más grises de los años setenta. En esas conversaciones –recuerda Dittborn– la risa propiciada por Lihn tenía un efecto casi catártico ante una situación general sombría a todas luces, y sofocante. Es un hecho, en este sentido, que cuando uno pasa la etapa escolar los ataques de risa se hacen cada vez más infrecuentes: cada vez es más difícil encontrar cómplices para ellos, y, cuando los hay, se puede decir que semejante coincidencia de ánimo equivale a un certificado de amistad.

Mis recuerdos de Enrique Lihn y de Rodrigo Lira están unidos entre sí y asociados a esos desbordes compulsivos. En ambos casos el humor –negro, casi siempre– procedía de la literatura y se dirigía a ella. Una vez nos juntamos con Lira a estudiar un texto de Martinet sobre el remedo de lenguaje de las abejas. Yo confiaba en que él –alumno mil veces más analítico y metódico que yo– guiaría la lectura con la disciplina de un lingüista, pero nos resultó imposible parar de reírnos imaginando a esos insectos que ahítos de miel trataban de ejecutar danzas para decirse cosas entre ellos. Con Lihn pasaba lo mismo: lo veo en el café de la Plaza del Mulato, víctima de un acceso de risa espasmódica mientras leía en voz alta un libro que yo andaba trayendo por extravagancia: el *Manual de derecho canónico*, del obispo Errázuriz. En uno de sus capítulos legislaba sobre quiénes estaban impedidos de administrar la misa. A saber, los pigmeos, los que tuvieren la nariz tan deforme que "moviera a risa", los que no pudieran sostener la cabeza sobre el cuello, los que tuvieren los dedos tan frágiles que les resultara imposible sostener la hostia, etcétera. Otras obras memorables de esta índole –es decir, involuntariamente humorísticas– eran *Fisiología*, del profesor Pobel, e *Higiene del matrimonio*, de Pedro Felipe Monlau, cuando no las del propio doctor Stekel, de corte psicoanalítico.

He evocado estas anécdotas al leer y releer los textos críticos de Enrique Lihn reunidos en el libro *El circo en llamas*. Desconfío –a la hora de aventurarse en la comprensión de las cosas y de las personas– de las distinciones de género y de tono. Es plausible que nuestras iniciativas habituales en la poesía, en la crítica o en el flujo de la vida corriente se estimulen y se iluminen entre sí. No es novedad que los chistes y aun sus parientes –las equivocaciones– acostumbran a adoptar estatus psicológicos y se vinculan –en los recovecos de un mapa invisible– con miedos y emociones mayores. (Shakespeare, nos dice Auerbach, vio en el polvo glorioso del cadáver de Alejandro un buen ingrediente para fabricar tapones de barriles cerveceros).

Por tanto –y por ejemplo– el cuento de Tevah –o su estructura– coincide de algún modo con una de las preocupaciones recurrentes de Enrique Lihn: la eventual identidad entre infancia y vejez, una de las claves, en su caso, de la voluntad o la fatalidad de escribir. "Parece mentira al decirlo", anota en el prólogo de *Álbum de toda especie de poemas*, "como ocurre con otros lugares comunes: de no ser por mi infancia no escribiría poemas. Infancia y poesía están asociadas por el principio de la casualidad y la lógica de la indeterminación. La segunda debiera ser el efecto de la primera, pero está la ley de las excepciones. Según ésta, como la infancia es una consecuencia de la poesía, habría una ancianidad previa al acto poético. Así, todos los adolescentes escriben versos viejos, malos poemas. Hay que haber empujado al acto de imaginar en el lenguaje por situaciones límite de insatisfacción y ansiedad, que sólo se presenta en la infancia, para llegar escribiendo versos al umbral de la tercera edad. La ilusión de omnipotencia que hace crisis en las circunstancias se restablece con la ilusión de la ilusión: una forma elemental y fresca, lírica, de escepticismo; una sabiduría de silabario que sólo la primera ancianidad –la vejez del niño– es capaz de postular para toda la vida desde la energía y vulnerabilidad de la infancia".

El tópico del *puer senilis* –el niño viejo– es un lugar común de la retórica de la Antigüedad tardía, pero también –según enseña Curtius– una especie de arquetipo de todos los tiempos. El erudito aporta buenos ejemplos: según testigos, Catón el Censor se conducía, a la más tierna edad, con la gravedad de un senador, y el santo budista Tsong-Kapa lucía una larga barba blanca desde el preciso día de su nacimiento.

Pero hay un caso más significativo para nosotros: el de Montaigne, modelo del contemplativo y del crítico. "La infancia de Montaigne", aclara Pedro Henríquez Ureña, "contiene ya todos los elementos fundamentales de su vida. Es una niñez a la inversa, una niñez recapitulante [...]. La niñez es un compendio anticipado de su existencia, porque ha fijado los rasgos maduros de su carácter prematuramente, le ha dado una personalidad, una actitud ante la vida, una reserva, un refugio inaccesible [...]. Todavía queda indeleble, en las páginas más altas y penetrantes de sus *Ensayos*, ese rasgo del niño que ha envejecido".

Enrique Lihn, a la manera del poeta clásico que no era (o que habría preferido no ser), hizo de la actividad crítica un dispositivo inseparable de su producción poética. Lihn fue un poeta de la *forma tractatus* y de la *forma tractandi*, por decirlo de un modo pedante. Muchos de sus poemas, según él mismo aclaró, "temáticamente incluyen una reflexión de la poesía sobre sí misma, pero no por sí misma sino como paradigma de ese imaginario que da forma a la realidad y, a un tiempo, la afantasma". La exhaustiva reunión de sus ensayos en *El circo en llamas* da cuenta de todas las variaciones posibles de la irrenunciable fijación crítica de Lihn. A través de las páginas del libro pasan varias veces los años en una u otra dirección, y con ellos los distintos modos –de hablar y de escribir– que utilizó Lihn para aproximarse al misterioso fenómeno de la poesía, para él de primera mano y de primera magnitud. En sus apologías se delata a veces también –como una figura en el tapiz– la necesidad de cubrirse de la cháchara ajena o de ponerla en orden: opiniones, sobre todo opiniones, generadas, más que en el papel impreso (por lo menos éste permite una oportunidad de distanciamiento), en el entorno acústico de mesas redondas, foros y talleres literarios. Su escritura adopta en estos casos esquemas defensivos, escolásticos, y en ellos uno puede casi oír la retahíla de fórmulas forzosas que de tanto en tanto tratan de encauzar el ejercicio poético en los límites de algún deber ser de ocasión, ya sea en aras del formalismo, de la vanguardia, la pureza o la contingencia política.

Respecto a la cháchara en general, me parece que Enrique Lihn la resentía bastante, y a veces –me imagino– se transformaba en su víctima, en la medida en que por ética intelectual consideraba que era mejor la confrontación pública de las ideas que su consumo en la intimidad de los hogares. No en vano el escudo de la República Independiente de Miranda –proyectado por Óscar Gacitúa, según idea de Lihn– tenía como animal emblemático a un papagayo, el pájaro que ha adquirido fama mundial por su capacidad de emitir enunciaciones vacías, ecos risibles del lenguaje articulado y constitutivamente humano. Bajo las garras del pajarraco, el necesario lema, en falso latín: "Por angas o mangas".

Ya Valéry se había quejado alguna vez de la fatigosa cantidad de apreciaciones sobre la poesía que se habían acumulado en su momento, tendientes a reducir su alcance a los niveles de la incomprensión. Le asombraba que al hablar de poesía –más que en ninguna otra disciplina– los interesados desdeñaran la observación de las cosas mismas: es decir, del proceso de producción de un poema, más allá de los voluntarismos y las ganas.

Las exacerbaciones del lenguaje –especializado o no– siempre conllevan un grado de insensibilidad o miopía y, como si fuera poco, entusiasman, sobre todo a los jóvenes. Enrique Lihn pretendía –según confesaba– escribir solamente de la manera más libre posible. Recuerdo en este sentido la última entrevista de su vida, que nos concedió a Rodrigo Cánovas, Miguel Vicuña y a mí en el invierno de 1988, en su departamento de la calle Passy. En esa oportunidad Lihn dejó constancia de una intuición muy valiosa del "estado de emoción" –la frase es de Wordsworth– en que se activa el pequeño e íntimo vértigo de la poesía: "O sea, uno sale a la calle y no es la calle, sino que se ven ruinas, o bellas iglesias, o se cierra un cambio increíble. Despiertas, digamos, en Nueva Delhi y hay cosas que no habías visto nunca, porque no es lo mismo ver fotos. Son cosas muertas. Entonces, ¿cómo vives las cosas muertas? O no ves nada. Las que ya murieron no se ven. Entonces, tratas de rellenar un fantasma invencionado o inventado y ves que para ti no ha de rendir nunca una imagen real. O sea, para mí la poesía es una relación anómala con la realidad, que pone primeramente en tela de juicio esta categoría. Porque es una relación particular, específica con un lugar determinado, con todo como si estuviera ahí. Pero de ese lugar tú te vas a ir, porque ése ha sido el destino de mis viajes; en ese lugar tú no estuviste y sabes que años atrás ese lugar era otro y todo lo que había ahí ya no existe".

"A sus cualidades", escribió Wordsworth en 1800, "el poeta ha agregado una disposición de ser impresionado más que otros hombres por las cosas ausentes como si estuvieran presentes". Esta inquietante certeza alumbró durante años la poesía de Enrique Lihn y su atmósfera crítica. Se trata de una apreciación válida para la poesía de cualquier época, más allá de la furia y del ruido que ésta siempre concita. La poesía, en este entendido, es hija y madre de Memoria: "No hay paraísos", escribe Lihn, "como no fueren los que fabrica la memoria, en lugar de lo que fue. Pues la materia de la memoria no es el pasado sino nuestra versión actual de esa zona inaccesible del tiempo, una instalación poética hecha sólo de palabras. No menos que de ellas".

Viaje y memoria
El aliento vital de Enrique Lihn

La perduración de Enrique Lihn se debe tanto a la urgencia de su
palabra poética como a la condición afantasmada que su figura personal ha ido adquiriendo. Su poesía, feliz en sus resoluciones y cómplice
de la imprevisible sensibilidad del lector –considerado éste en su calidad de individuo secreto e informado–, experimenta cada cierto tiempo
notables recrudecimientos. Quienes la buscan desean probablemente
conjurar con ella la extrañeza de lo circundante. Extrañeza, en su caso,
posibilitada por las crispaciones de una lengua hecha de muchas hablas,
en la que se reúnen –como en un hervidero, para usar una expresión
del propio Lihn– cultismos varios, ripios de la oralidad, descripciones,
imágenes, diatribas y rotundas sentencias en ocasiones denegadas a ren-
glón seguido. Lo circundante es lo que este concepto significa aproxi-
damente para casi todo el mundo: el amor, los viajes, las pasiones, la
memoria, la ciudad, los humores, la literatura. En suma, la realidad y
sus inmediaciones.

Decía Emerson que al leer los *Ensayos* de Montaigne podía adivinar,
tras las palabras, los ademanes del autor. Lo mismo se podría afirmar de
los poemas de Lihn, que siempre encubren la gesticulación, la mueca,
la respiración y hasta el silencio. Son poemas, a su modo, dramáticos, y
su registro retórico considera desde el monólogo hasta la pieza oratoria,
desde la invectiva hasta murmuraciones sombrías del enamorado. La
intensidad del lenguaje con que Lihn enfrenta cada situación expuesta
en los poemas provoca que tras su lectura quede la sensación no sólo
de haber reconocido una voz lírica, sino además de ser destinatario de
un sujeto leal a su escepticismo y a su temperamento. Un personaje dispuesto a hablar sin tapujos sobre sí mismo a su manera.

Las grabaciones magnetofónicas atestiguan que Lihn fue un gran lector de sus poemas, el mejor intérprete de su pauta dramática. Consciente de las virtudes de la oralidad, observador insospechado de los viejos actores, experimentaba manifiesta aversión por el estilo recitativo del poeta chileno medio, tan solemne como quejoso e invariable.

En esta poesía, sin embargo, hay un asunto mayor, un modelo de fondo que les proporciona a las palabras el aliento vital: la relación entre viaje y memoria estampada en la escritura como señal equívoca de la realidad. Éstos son los motivos permanentes de la escritura de Lihn. Él mismo lo ha expresado en su libro de conversaciones con Pedro Lastra. "El viaje", dice allí, "es un cambio de escenario que corrobora la persistencia del sujeto que viaja [...]. El falso recuerdo de la infancia remite al viajero a un presente que sustituye al pasado". Luego agrega respecto a su posición ante la escritura: "Yo quisiera rescatar un concepto de la literatura que no excluye los datos de la experiencia. No se trata de la presunción realista de una literatura que sería el reflejo artístico de la realidad objetiva, pero creo que el enrarecimiento de la literaturidad lleva a una literatura [...]. Lo que yo he intentado hacer al menos, por mucho que parezca irrealista, es el producto de un cierto enfrentamiento con la situación".

Pero sus trayectos no sólo se limitaron a las investigaciones sobre la aparición de la memoria en el momento de su evocación por escrito, ni a sus desplazamientos territoriales: también es posible percatarse de otros traslados: la apropiación sigilosa de diferentes formas poéticas, tradicionales o no. Lihn escribió sonetos, poemas breves, sátiras destemplantes, poemas de largo y profundo aliento, parodias, etcétera. Sus movimientos no buscaban asombrar con virtuosismos, sino que más bien estaban ligados estrictamente a la necesidad que dictaminaba cada circunstancia en la que inscribió su verbo. Un ejemplo de esto es lo que le dice a Lastra sobre su adopción del soneto en *París, situación irregular*: "Por mi parte –ventajas del inculturalismo–, no empleé el soneto para conmemorar el prestigio histórico de esa forma. Lo hice porque me convenía mostrar la palabra expuesta a esa violencia formal y, en lo esencial, me fundé en un recuerdo generalizado sin ninguna precisión histórico-literaria. Lo natural era que el soneto torturador se erizara de palabrotas locales, de idiotismos o de chilenismos".

Estas observaciones no agotan ni siquiera parcialmente la compleja trama que la obra de Lihn fue armando con los años, desde su primer libro, *Nada se escurre,* fechado en 1949, hasta *Diario de muerte.* La poesía es un objeto inasible que nos presenta siempre un territorio de sugerencias huidizas. La poesía de Lihn, por lo demás, es particularmente inasible: la emoción efectiva que produce viene en todo momento distanciada por contradicciones irreductibles, un extenso repertorio de artificios y pretextos, además de un temple muchas veces sarcástico. Si se dirige al espacio y al tiempo del lector, lo hace refractando un pasado y una distancia que no tienen más realidad que la palabra que los proyecta. Jorge Elliot, en el prólogo a la primera edición de *La pieza oscura* (1963), se refirió de manera elocuente al sentimiento de filiación que produce la lectura de Lihn. Sus palabras nos restan trabajo a la hora de las explicaciones: "La gran magia de la poesía de Enrique Lihn reside para mí, su lector, no tanto en la 'música de sus ideas' como en el murmullo subterráneo, subjetivo, subsexo, subtancia que la recorre. Nos produce un sobresalto como el rumor que anuncia un temblor y que pasa sin destruir nada, pero que agita el corazón porque nos deja con nuestra mortalidad anudada en el cuello y nuestra carne temblorosa, amarrada a la vida, a la angustia de sus deseos".

Hablamos al principio de la condición afantasmada que ha ido adoptando la figura de Lihn. Han pasado ya diez años desde la noche de su muerte y, no obstante, sigue siendo una referencia viva para lectores y escritores. Hay quienes, incluso, aseguran haberlo visto pasar leyendo por Providencia con Manuel Montt o por el puente Pío Nono (caso curioso: algo parecido sucedió con Huidobro tras su muerte). Simple ilusión óptica o voluntarismo del afecto, el episodio sirve para constatar la permanencia de un poeta que leyó y estimuló a otros poetas, por lo general más jóvenes que él. Sus artículos sobre autores como Juan Luis Martínez, Óscar Hahn, Manuel Silva Acevedo, Rodrigo Lira, Claudio Bertoni o Diego Maquieira comprueban que siempre fue lúcido respecto a la disparidad de voces de las generaciones que intersectaron con la suya. Lihn no fue avaro con sus horas contadas, sino más bien un buen despilfarrador. Esto lo saben sus numerosos amigos, que aún evocan su conversación alternativamente anecdótica e ilustrada. Esos recuerdos multiplicados nos certifican hoy que nunca practicó la "moral del codazo", conforme a la expresión de Carlos Mastronardi, como una forma de instalarse en un sitio cultural. En su escritura, Lihn siempre fue dueño y señor del conjunto de sus propias incertidumbres, según la definición de estilo que él mismo se adjudicó.

[Texto escrito en colaboración con Matías Rivas.]

EL REY DE LA MOFA
"BATMAN EN CHILE", DE ENRIQUE LIHN

Al margen de la línea de transformaciones que su poesía describió con los años, Enrique Lihn siempre tuvo el ojo puesto en las exageraciones de la farsa y en el alto contraste de las representaciones paródicas. En este sentido no era un hombre de cabos sueltos ni de etapas cerradas; parecía, por el contrario, interesado en conectar como se pudiera las variantes artísticas que cultivó desde su juventud, las que partieron, como se sabe, por la manipulación de títeres esperpénticos y continuaron con el ejercicio de la pintura.

Particularmente durante los últimos diez años de su vida, Lihn demostró una energía sorprendente para iniciar proyectos que excedían el radio de la poesía. Escribió y montó obras de teatro, filmó a la rápida borradores de películas, dibujó historietas o cómics, y llegó a subir al tinglado a uno de sus personajes, Gerardo de Pompier, en una memorable puesta en escena en la que él mismo se encargó de representar a ese vetusto detentor de la palabra hablada y enchapada en solemnidad.

Batman en Chile, su primera novela, publicada en 1973, puede ser ubicada en este segmento de sus inquietudes. La idea de inocular en el escenario de la realidad social chilena a un individuo extremadamente ficticio, y no por heroico exento de ridiculez, delata la intención de forzar una situación imposible. En esta novela y en otras posteriores Lihn se empeñó en generar la inverosimilitud para mirar el mundo circundante a través de su prisma.

El mundo circundante, en la época de la Unidad Popular, parecía en su momento saturado de acciones, pero en mayor medida de palabras. Como nunca abundaron los eslóganes, las declaraciones, las llamadas de alerta a las bases de los partidos, los manuales de concientización. Los debates televisivos y radiales eran protagonizados por lenguas de fuego. Frente a una derecha pragmática y permanentemente indignada, las voces audibles de la izquierda debatían además sutilezas ideológicas como enfervorizados escolásticos.

Fueron, por tanto, años de retórica fuerte, campo de cultivo de la parodia y del chacreo, como lo prueban ciertas películas de Raúl Ruiz

–*La expropiación* y, por proyección, *Diálogos de exiliados*– y la hilarante chacota por escrito titulada *La luna para el que la trabaja*, de Carlos Ruiz-Tagle.

En el primer plano de *Batman en Chile* está precisamente la retórica. La serie de tropiezos y malentendidos vividos en el país por el héroe murciélago es narrada por Lihn con una notoria delectación de lenguaje. El mecanismo paródico del relato procede precisamente de la confrontación de una historia patagüina con una escritura reflexiva, cruzada de referencias cultas y que además es consciente de sí misma: una escritura, en definitiva, diseñada para modelos de realidad algo más serios.

En la medida en que uno avanza por las páginas de *Batman en Chile* se impone la sensación de estar escuchando *formas de lenguaje*; es decir, más que la transparencia de la comunicación efectiva, se muestra aquí la opacidad de los signos. El narrador y los personajes hablan mucho, y lo hacen de una manera *visible*. El Chile visitado por Batman parece ser el reino de la cháchara tal como lo sería después la República Independiente de Miranda, en cuyo escudo heráldico campeaba un papagayo sobre el lema "por angas o mangas".

Me pregunto por qué Lihn eligió a Batman, un paladín de segundo orden, como protagonista de su obra. Me imagino que no solamente por el disfraz –ya que éste es común a todos los héroes infantiles norteamericanos–, sino también, acaso inconscientemente, por su vaga conexión con la literatura gótica y por su relativa humanidad. Si todo lo que conocemos sobre la vida y milagros de Batman fuera una pesadilla o una alucinación del propio personaje –y no, como se nos hace entender, los episodios de una historia–, llegaríamos directamente a la "escena traumática" que marca el origen de su condición anómala: el atardecer de invierno en que Bruno Díaz, un niño rico y protegido, paseando por el parque anexo a la propiedad familiar cae a un foso infestado de murciélagos y es cubierto por una asquerosa y movediza oscuridad.

Enrique Lihn continuó en los años siguientes teniendo en mente, con intenciones paródicas, a los epónimos de la industria de la entretención internacional. En 1983, a propósito de la muerte de Johnny Weissmüller, el célebre actor que interpretó a Tarzán, organizó unos happenings donde la selva profunda aparecía representada por el no tan exuberante campo chileno (instancia, por lo demás, donde se acuñó el eslogan "avanzar sin Tarzán"). Un año después, en el invierno del 84, filmó a la rápida, en unas cuantas locaciones improvisadas, su película *La cena última*. Una de las secuencias es memorable: durante el velorio de un futbolista, el cura larga una perorata muy larga en perfecto latín (nuevamente la cháchara). Los feligreses permanecen impávidos escuchando esas palabras incomprensibles hasta que inopinadamente una señora de luto se para de la banqueta, avanza por la nave central y grita: "¡Cállate, conchatumadre!". Luego ingresa al templo un piquete de agentes de la CNI con máscaras del ratón Mickey, provocando, con sus lumazos, la estampida general.

EL LADO DE ALLÁ, EL LADO DE ACÁ
LIHN Y PEZOA VÉLIZ FRENTE A LA MUERTE

Dos veces me he encontrado cerca de morir, pero en ninguna de ellas he experimentado una real conciencia de la muerte. Fueron momentos de desesperación e incluso de delirio, en los cuales no se me hubiera ocurrido despedirme de nadie ni ordenar un virtual testamento. Estaba atento más bien a algunas hostilidades de la vida misma. Me molestaba, en una de estas ocasiones, la presencia de una sonda de oxígeno introducida en mi nariz y pegada con scotch en uno de mis brazos. Sentado en la cama de la clínica, con la respiración agitada, me empeñaba impetuosamente en entender de qué lado de las cosas estaba la sonda. Había un lado, "el de allá", territorio de lo ominoso y de lo adverso; y otro, "el de acá", que percibía como familiar y protector. Por lo tanto, nunca supe nada.

El peligro de morir lo inferí posteriormente a partir de los informes de los médicos. Lo que sentía en aquellos instantes era miedo, pero miedo a algo que no tenía demasiado nombre. Escribí, en uno de esos trances, un poema a la Virgen, una invocación formulada desde la orfandad de quien no quiere más que enterrar la cabeza entre los pliegues de su manto. El poema quedó inconcluso y su consecución es aún una promesa y una deuda.

Distinto fue el caso de Enrique Lihn en 1988. El tenía más o menos claro el plazo final y –como respondiendo a un remoto atavismo– se preparó para la muerte. O bien quiso mantenerse vigilante en relación al terreno que pisaba, lo que probablemente lo llevó a rechazar la benéfica morfina. En el prólogo de su última obra, *Diario de muerte*, Pedro Lastra y Adriana Valdés cuentan que en esos días Lihn les pidió a varios amigos que le llevaran libros sobre la muerte. Recuerdo encima de su velador una edición de tapas grises de *El libro tibetano de los muertos*, que él comentaba con apagado entusiasmo.

Muchos años después tuve un encuentro ridículo aunque un poco violento. Un vendedor de una librería céntrica se me acercó para hacerme destinatario de un reclamo: estaba indignado porque se había dado cuenta de que uno de los poemas de *Diario de muerte* –"Hay sólo dos países"– reproducía íntegro un párrafo de Susan Sontag que aparece en su ensayo *El sida y sus metáforas*. El vendedor se consideraba víctima de una estafa post mortem: afirmaba con énfasis que un poeta de verdad no puede incurrir en citas sin comillas y sin mención de la fuente.

No me tomé el arrebato muy en serio, no pensé ni dije gran cosa. Hubiera sido absurdo, en esa circunstancia pasajera, ponerse a discutir; justificar, por ejemplo, la filtración de un texto en un contexto ajeno mediante la teoría de la intertextualidad, y también hubiese sido impropio mencionar a todos los poetas que han firmado fragmentos de otros, o incluso hablar de la imitación clásica. Algo mencioné sobre la lista final de remisiones efectuada por Lastra y Adriana Valdés, donde se ve claramente que en el mundo de Lihn, a punto de extinguirse, circulaban nítidamente las palabras de otros autores, de Baudelaire a Freud.

Es siempre una molestia tocar esta clase de temas con desconocidos, sobre todo si éstos están embargados de rabia moral. La verdad es que detesto hablar de literatura en situaciones carentes de intimidad. Aún experimento el fenómeno literario como un asunto personal, y si pienso en ello una parte considerable del día, lo que hago más bien es tratar de mantener a flote ciertos equilibrios mentales.

Hay un concepto que aprendí del doctor Stekel y que me sigue seduciendo con los años: la criptomnesia o "memoria secreta". Se trata de la facultad –"presente sobre todo en los sonámbulos y en los moribundos"– de reproducir por escrito párrafos enteros de libros leídos con anterioridad. Stekel, en su mamotreto *Actos impulsivos*, pone un ejemplo de escritura de contrabando detectado en *Así habló Zaratustra*.

La idea es muy bonita, en la medida en que da a entender que la frontera entre la lectura y la escritura se suprime en cuanto comienza a difuminarse la que divide a la vida y la muerte. Se verificaría, en estos casos, algo parecido a una incorporeidad del yo.

Como fuese, no me parece que la aparición del texto de Sontag en el poema de Lihn corresponda a esta categoría. Sería más bien todo lo contrario: la necesidad de reproducir en el ámbito de una conciencia abierta unas cuantas palabras originalmente articuladas en prosa. La repetición y la redisposición de estas palabras logran que las entendamos como poesía. No creo que haya mucho más en el trasfondo del problema. Da la impresión de que Lihn memorizó el fragmento de Susan Sontag como si éste le hubiese sido confiado al oído, y que luego, a fuerza de repetirlo mentalmente, se decidió a anotarlo dividiendo las frases en versos. No quedó, por tanto, en calidad de epígrafe, sino como una voz común a la del resto de los poemas.

Capítulo aparte es el de Pezoa Véliz y su poema más famoso, "Tarde en el hospital". Lo escribió probablemente en 1908, el año de su muerte, en el Hospital San Vicente, el recinto santiaguino de lúgubres connotaciones que tanto miedo le producía a Federico Gana.

Pezoa Véliz había llegado ahí como consecuencia de las complicaciones generadas por una pierna destrozada dos años antes, en el terremoto de 1906, ocasión en que le tocó ser aplastado por unos escombros. El terremoto fue una catástrofe tenebrosa, con lluvia y con incendios, y para Pezoa Véliz tiene que haber significado la burla final de una vida que él mismo había enfrentado con sarcasmo. Acababa de mejorar, por vez primera, su situación económica y social. Como secretario de la Municipalidad de Viña del Mar había podido por fin optar a un vestuario de futre y ofrecer unos tés muy sonados a la intelectualidad local: tenía un sueldo y ya no solamente el esporádico pago de la incertidumbre. Me imagino que su nuevo estado resultó una especie de alivio ante las frecuentes humillaciones sociales que le tocó protagonizar: tener que andar, por ejemplo, cubierto de un poncho largo para ocultar la ausencia de chaqueta, o alimentarse durante días enteros con té puro y pan sin nada.

El hecho es que en 1908 Pezoa fue internado durante meses, trámite, en su caso, sin retorno. Sabemos que sus amigos más fieles lo iban a ver y que él en un principio –suscriptor de una personalidad intolerable– los trataba con desdén para quedar aferrado a sus ropas en el momento en que éstos daban por concluidas las visitas.

El tiempo de los enfermos es singularmente cambiante. En la extensa inmovilidad del hospital pasan cosas extrañas. Las ventanas adquieren especial importancia, y a través de ellas el enfermo tiene la impresión de tragarse el mundo y sus imágenes como un hoyo negro que succiona a las galaxias. Aunque lo que se vea a través no sea más que unas cuantas techumbres con neumáticos viejos, el recluso logra emocionarse cuando el sol del poniente les da un tinte de óxido a esos trastos, porque ve en ellos algo así como un recuerdo de la vida que se va.

"Tarde en el hospital" tiene que ser el primer poema importante de la literatura chilena, el primero donde hay más madurez de la experiencia que entusiasmo retórico o changanga narrativa. Es un poema sin adornos, casi una crónica de la inmovilidad de la espera. ¿Y qué se espera en "Tarde en el hospital"? No mucho, simplemente el tiempo, un tiempo que no difiere en nada del tiempo presente, en el que el individuo que nos habla parece diluirse lentamente, medio sumergido.

En un texto de 1932, Raúl Silva Castro señaló "un sospechoso parecido" entre "Tarde en el hospital" y el poema "Nevicata", de la italiana Ada Negri. Está bien, el parecido es más que sospechoso: ambos textos son prácticamente lo mismo, sólo que en el caso de Ada Negri el motivo de fondo es la nieve y no la lluvia. Los dos poemas tienen estrofas de tres versos de ocho sílabas con una coda bisílaba de una palabra. En el caso de Pezoa Véliz la serie de estos versos finales está formada por las palabras *llueve-duermo-llueve-pienso*; en el de Ada Negri, el paradigma es *cade-stanca-dorme-tace-pensa*.

Hubo, en su momento, una polémica entre Arturo Torres Rioseco y Roberto Meza Fuentes sobre el probable plagio. Raúl Silva Castro, que sugiere la posibilidad de que el texto de Negri le haya llegado a Pezoa a través de algún amigo conocedor del italiano, solicitó no juzgarlo con demasiado apuro, dado el hecho de que "Tarde en el hospital" fue escrito cerca de la hora de la muerte.

Hoy nada de esto importa demasiado. La cadencia de "Nevicata" es muy apropiada para ser evocada en un momento de inmovilidad y entrega obligatoria. O bien es posible que la lluvia que supuestamente percibió Pezoa Véliz desde su camastro del Hospital San Vicente se confundió en un mismo flujo agónico con esa nieve leída, escuchada e imaginada alguna vez.

Antes de hora

Lihn y Oyarzún en sincronía

En sus *Conversaciones con Pedro Lastra*, Enrique Lihn le dedica algunos párrafos a la personalidad de Luis Oyarzún y al influjo que ciertos textos del esteta pueden haber tenido sobre su libro *Poesía de paso*. Lo describe como "un erudito que combinaba las ansiedades de un poeta maldito con la gestualidad del catedrático y las musarañas de un goliardo".

Ambos escritores coincidieron muchas veces en el Parque Forestal –la zona áurica de su generación–, en la Escuela de Arte de la Universidad de Chile y en los bares y fuentes de soda céntricos donde se prolongaba por entonces la vida literaria santiaguina. Lihn, al que siempre le interesó la puesta en escena de la palabra, vale decir la enunciación, no podía sino haberse fijado en Oyarzún, el magnético orador de las aulas universitarias cuya propia poesía parecía desvanecerse cuando no era comunicada en voz alta.

Hay otra coincidencia, algo más extraña, que vincula a uno y a otro. El 6 de enero de 1957, Oyarzún dedicó una de las anotaciones de su *Diario íntimo* –particularmente contrita– a la muerte de Gabriela Mistral: "Adiós, Gabriela. Día del encontrarnos, día de la Epifanía... La poetisa de los *Sonetos de la muerte* presintió, con esa claridad oscura de la profecía poética, la virtud de su Epifanía... Recibió ella el oro con humildad; olió, como ausente, el incienso, y la ungimos ahora, en este nuevo día suyo, en este último día, con la mirra que ella conoció tan bien, desde tan joven como la ceniza precoz de la muerte".

El hecho de que Oyarzún se haya adelantado al deceso de la Mistral (que ocurrió cuatro días después) es un misterio para cuya resolución no nos dejó pistas. Podemos inferir que el narrador del *Diario* simplemente pasó del suceso real de la agonía (en un lejano hospital de Long Island) a la esfera general de la muerte.

Otro tanto hizo Lihn: su hermosa "Elegía a Gabriela Mistral" fue escrita –según confesó mucho más tarde– antes de que ella muriera: "La que moría era la persona física. Eso no me conmovía personalmente. Me resultaba conmovedora esa especie de eclipse de la vida y la muerte, la transfiguración –o la transustanciación, más bien– de esa persona en la palabra que era su destino".

Las respectivas grabaciones de Lihn y de la Mistral leyendo sus poemas dan cuenta de ese eclipse de la vida y de la muerte. En los dos casos es el residuo tecnológico el que afantasma las voces y parece dejarlas flotando en un territorio intermedio y sombrío: la voz desligada del cuerpo sosteniendo tan sólo la palabra: la pura enunciación de ambos poetas, el entretejido material de sus palabras que dejan una estela o un eco de significaciones antes de fundirse en el silencio.

"Dirán que se ha dormido para siempre, dirán / que un ala color fuego y otra color ceniza / el ángel de su voz baja por ella". Así empieza la elegía de Lihn. El ámbito simbólico de su texto es similar al de Oyarzún, si bien las formas difieren. Transfiguración, transustanciación, Epifanía: en el diccionario católico los significados de estos términos intersectan. En todos ellos está la idea de una cosa que se transforma en otra.

La suma de las partes
Lihn y Martínez a través del espejo

Contaba Claudio Bertoni que en 1972 asistió ocasionalmente al taller de poesía dirigido por Enrique Lihn en la Universidad Católica. En una de las sesiones se presentó Nicanor Parra, que venía llegando de Estados Unidos con el entusiasmo vivo por *Do it*, el primer libro de Jerry Rubin, patrono y activista de los yippies, o hippies politizados. Parra pregonaba entonces que cualquier cosa que saliera de la cabeza podía constituirse en poesía. Lihn –un poco ofuscado, me imagino– le preguntó algo como "¿así que si yo digo tip-tup-tap-tap significa que eso es poesía?". Parra contestó que por supuesto y anotó el galimatías en una libreta, prometiendo incluirlo en su próxima publicación.

En el mismo taller estaban inscritos Juan Luis Martínez y Raúl Zurita, pero sólo venían a Santiago a cobrar la mensualidad que les correspondía en calidad de alumnos. Como fuera, supongo que en ese lugar las formalidades estaban fuera de lugar. Si bien Martínez y Zurita –cuyas obras en ese momento estaban en sus inicios– se consideraban factores de quiebre respecto a la generación de Parra y de Lihn, la situación indica que tuvieron el privilegio de respirar una atmósfera intelectual polinizada no sólo por el polvillo de las bibliotecas, sino también por un pensamiento hablado, racionalista, a veces extremo y callejero.

Los años posteriores distanciaron a Lihn y a Martínez. Uno se fue a París y el otro se quedó gravitando entre Viña y sus alrededores. Ninguno de los dos intentó permanecer, ni real ni virtualmente, en el centro del mundo, en tanto este concepto no operaba en sus proyectos de vida. Martínez se quedó para siempre con su familia en una pequeña casa de la calle Fresia, en Villa Alemana, cerca de una estación de trenes llamada Romieux. A Lihn le tocaron la inestabilidad, los frecuentes cambios de domicilio y la experiencia de ser un individuo que se desplaza por las veredas de una ciudad ajena sin dejar huella, como puede inferirse en *París, situación irregular*, uno de sus libros de viajes del período.

En entrevistas concedidas poco antes de sus muertes respectivas, Martínez, un hombre por lo demás enfermo durante muchos años, agradecía la módica seguridad proporcionada por *la casa*, en la que veía también la prolongación o la analogía del libro. Lihn, al contrario, celebraba –para su poesía– el hecho de no haberse establecido jamás.

Pienso en Enrique Lihn y en Juan Luis Martínez con la asiduidad con que se piensa en los amigos muertos, pero no se me había ocurrido hasta ahora de qué modo sus figuras pueden ser confrontadas en un espejo. Son figuras que evidentemente no calzan, rostros y destinos distintos, mentes en cierta manera opuestas.

Martínez estimaba que los libros debían *encontrarse* con sus lectores, por lo cual no le parecía mal que los suyos tuvieran precios onerosos. Cumplía, en este sentido, con la premisa de su maestro Mallarmé: restringir el número de lectores al mínimo. Por la misma razón no publicó más que dos obras que por mucho tiempo escasearon al punto de que se llegó a dudar de su existencia. Tenía quizás presente el instante en que el joven Valéry acude al llamado de Mallarmé para que vea las primeras pruebas de *Un golpe de dados nunca abolirá el azar.* Valéry, primer y en ese momento único lector, se emociona precisamente porque esa obra existe a despecho del desconocimiento del mundo; su emoción podría ser equivalente al de un astrónomo que en la soledad del observatorio detecta una estrella ignorada.

Lihn, en cambio, aseguraba que quería llegar a la mayor cantidad posible de lectores. De ahí sus publicaciones en forma de folletines masivos, como *El Paseo Ahumada* o *La aparición de la Virgen.* Adicionalmente, publicaba artículos de prensa, libelos críticos, ensayos, actuaba en sus propias obras de teatro, hacía clases, hablaba en mesas redondas, presentaba libros y aceptaba entrevistas a quien se las solicitara. La superación del yo –esfera que su poesía problematizaba– la logró a través de la multiplicación desbordante de sí mismo. Martínez, por su parte, para conseguir un efecto similar, no se movió demasiado de una línea de silencio. Desconfiaba del periodismo y desechó, por íntima disconformidad, la edición de un libro suyo deslumbrante, titulado *Un texto a la deriva.* Como Beckett –otro escritor que tenía presente– declinó la academia para no exponer ante otros sus inseguridades o sus cambios de opinión. Sólo quería para sí el ostracismo de una obra indistinguible de la vida en la que pudiera darle una expresión objetiva a la subjetividad.

LA PEQUEÑA CASA DEL AUTOR
Apuntes sobre Juan Luis Martínez

Juan Luis Martínez Holger nació en Viña del Mar en 1942, el mismo año de la publicación apócrifa de *La historia oculta de los gatos*, de Juan de Dios Martínez, la réplica fantasmal de su ego entre paréntesis.

Su vida visible transcurrió entre Concón y Viña del Mar, en Villa Alemana y, más escasamente, en un departamento de la calle Huelén en Santiago.

Tenía, como Henri Michaux, una cierta conciencia de la "impudicia del rostro" que restringió su álbum fotográfico a unas contadas imágenes familiares (una instantánea de 1973 lo muestra con su primera hija en los brazos, sentado en un banco, frente a los árboles silenciosos de la Plaza de Viña). Y así como Michaux fue fiel a un impulso ambulatorio que lo llevó a las antípodas de su Bélgica natal, Martínez fue fiel a la inmovilidad. Sin mayores vinculaciones con el realismo literario, entendió que el universo puede llegar a sumergirse en la aldea: en su caso, Villa Alemana, la ciudad dormitorio donde pasó la última parte de su vida y donde concluyó su obra poética.

Alguna vez pensé que la obra de Juan Luis Martínez clausuraba un camino y que por tanto estaba condenada a iluminarnos desde la soledad. Hoy vemos –en este mismo momento lo constatamos– cómo esta soledad ha retrocedido un poco, cómo se diluye cada vez que esa obra se prodiga al entendimiento de la poesía, cada vez que en cualquier parte del mundo se produce una relectura feliz.

Aún persiste –casi metódica– la duda de si fue Borges quien inventó a Macedonio Fernández o Macedonio Fernández quien inventó a Borges. Influir sobre los precursores: tal es la idea o una de las muchas ideas que aletean y alientan sobre la escritura de Borges. Juan Luis Martínez generaba –queriéndolo o no– este tipo de confusiones biográfico-bibliográficas, atendiendo a esa "extraña relación existente entre el espacio de la ficción y los personajes de la vida", según escribe en *La nueva novela*.

Por lo mismo, alguna vez se llegó a decir que este libro nunca se había escrito, que era un aporte mitológico, una broma literaria fraguada en algún rincón de Viña. En ese momento sólo existía una escasa primera edición, no comercial, y sus lectores formaban una suerte de cofradía de iniciados. Sus nombres constaban en una lista custodiada por el autor. Autor tan fantasmal que el crítico Luis Vargas Saavedra creyó o quiso creer durante un tiempo que Juan Luis Martínez era una invención de Enrique Lihn.

En cualquier caso, es cierto que alguna vez Martínez compró su propio libro a un librero de viejos que llegó a ofrecérselo como curiosidad a la puerta de su casa. Él suponía, por lo demás, inútiles los esfuerzos de búsqueda de los libros. Pensaba que eran los libros quienes lo buscaban a uno.

¿Por qué pasan los años y *La nueva novela* nos sigue atrayendo como un pozo de energía potencial? Una respuesta posible es la siguiente: porque, como una perfecta paráfrasis de la luna que vio Macedonio Fernández, el libro de Juan Luis pareciera ser el único libro que nos mira. Los demás –es decir, las otras estrellas– sólo "saetean ásperos de chispas que nunca miraron".

El libro nos mira mirar no sólo a través de los ojos impresos de Mallarmé, de Tardieu, de Alice Liddell, de W. B. Yeats o de un hipopótamo: el libro nos mira siempre, porque el alcance de nuestra mirada nunca termina de acomodarse a su tiempo ni a su espacio.

Hay un más allá supuesto, inferido, organizado en un espacio virtual como el de la memoria: son los límites de un jardín perdido en la historia de alguna parte de Francia y que excede los bordes recortados de la fotografía; es el espacio improbable adonde van las palabras de Alejandra Pizarnik, que fluyen a perpetuidad entre las mitades separadas del retrato de Rimbaud: "explicar con palabras de este mundo / que partió de mí un barco llevándome".

Cuando el libro se evidencia en su estado de objeto, trasciende el gesto mecánico propio del *ready-made*. Es otra cosa lo que pasa, no se trata de una simple denuncia a un molino de viento ideológico.

La obra de Juan Luis Martínez reclama permanentemente su más allá. Los textos invertidos reclaman su complementario espejo. El libro se prolonga en los espejos reales y estos reflejos se prolongan en los espejos ficticios. Cuando uno vuelve la página 87, semitransparente, sobre el retrato de Alice Liddell de la página 86, está deslizando inopinadamente el espejo de este *a través*. Es propiamente Alicia quien nos mira desde el otro lado del vidrio. Por eso, me imagino, al conocer *La nueva novela*, la madre de una amiga me confesó haber tenido la impresión de que la tragaba un laberinto, lo que no le sucedía desde que en su infancia había leído *Alicia en el país de las maravillas*. Juan Luis Martínez no pudo sino sentirse visiblemente de acuerdo con semejante apreciación.

Entendemos, por tanto, a la luz de estas páginas, que el pensamiento y el sueño son la misma agua en cauces distintos, y que en la realidad poética ambas aguas avanzan confundidas. El imperio de un orden sobre el otro constituye el mundo tal como lo reconocemos cotidianamente. Las cosas, cuando se extravían (cuando nos extraviamos de ellas), parece que van a parar a ese cauce común (el desorden de los sentidos).

Una última observación: reflexionamos por instinto, por un asunto de supervivencia. Reflexionamos como un gato se orienta en la oscuridad. Y una última anécdota: mi primera visita a Juan Luis Martínez, en el invierno de 1984, correspondió a una confusión cotidiana. Yo recién había terminado para la universidad un *tractatus* (en palabras de Enrique Lihn) sobre la obra de Martínez, y se me ocurrió ir a verlo a su casa, amparado en una vaga invitación que él me había hecho una semana antes, cuando una noche muy lluviosa nos presentó Marcelo Jarpa en la galería del café Samoiedo, en Viña.

Al llegar con Natalia Babarovic a la casa de Villa Alemana no encontramos a nadie. Ignorábamos absolutamente todo sobre la vida privada de Martínez y sobre su familia. Incluso dudamos si la dirección era la correcta. En esos trámites nos pilló la noche en la calle desolada. Ya hacia la una de la mañana nos percatamos de que un gato transitaba hacia el interior de la casa a través de una pequeña ventana. Natalia se introdujo por la ventana del gato. "Hay unos retratos de Rimbaud", gritó desde adentro, "parece que ésta es la casa". Abrió la puerta, prendió la luz y ahí estaba la esplendente biblioteca ideal de Juan Luis Martínez.

Por problemas de orden práctico, debimos dormir ahí con la intranquilidad de los ocupantes ilegales. Al amanecer dejamos una carta explicativa y nos fuimos sin mayor trámite.

Más tarde supimos que esa noche Juan Luis había viajado a Santiago, y que me había llamado a mi casa para que nos encontráramos.

También supimos que el nombre del gato era anagramático (Adán) y que uno podía dirigirse a él usando un metafísico palíndromo: "Nada somos, Adán".

El nombre de los gatos es un asunto difícil, nos dice T. S. Eliot, y considera en su famoso poema que un gato debe tener al menos tres nombres diferentes. Uno es el nombre común que pueden compartir muchos gatos: Victor, Jonathan, George. Otro es el que sólo pertenece a un gato en particular: Munkustrab, Quazo, Coripat. El tercero es el nombre que ninguna investigación humana es capaz descubrir, pero que el gato sabe y nunca confiesa. Escribe Eliot:

> *Cuando sorprendes a un gato en profunda meditación,*
> *la razón, te lo digo, es siempre la misma:*
> *su conciencia está comprometida en una contemplación extraviada*
> *del pensamiento del pensamiento del pensamiento*
> *de su nombre:*
> *su inefable efable*
> *efainefable*
> *profundo e inescrutable nombre propio.*

La constelación de los gemelos

"La poesía chilena", de Juan Luis Martínez

Bernardo O'Higgins, el padre de la patria, creó la bandera chilena en 1817, tras el triunfo en Chacabuco y poco después de ser nombrado director supremo. Como se sabe, esta bandera vino a reemplazar una anterior, diseñada durante los días de Carrera, que conservaba aún una banda amarilla, color ignominioso entonces por estar vinculado al pabellón español. El amarillo fue desalojado por el blanco y se agregó la estrella solitaria que perdura hasta hoy. Si la bandera carrerista puede considerarse de manera simbólica como una titubeante despedida de la madre patria, la o'higginiana será el corte definitivo de la amarra umbilical y el inicio de una navegación bajo el auspicio de una estrella propia. Así por lo menos se quiso entender en esos años.

La figura de Bernardo O'Higgins es social y psicológicamente más compleja que la del simple fetiche conmemorativo. Su destino podemos vislumbrarlo hoy como una cadena de desgracias juveniles que dieron después lugar a algo así como el resplandor polvoriento de la gloria. El círculo se cierra más tarde con la traición, el exilio y la muerte en suelo extraño. Es, en todo sentido, un destino novelesco, muy a la manera de su siglo. De joven, encarnó en cierta medida a un héroe literario sin país que, desconocido por su padre, no dejó, sin embargo, de dirigirse a él en los más dulces términos. Ninguna de las desoladoras pruebas que se pusieron en su camino lograron causar trizaduras visibles en el amor filial. Sufrió, en este sentido, pobrezas muy apremiantes en Richmond –por entonces un pueblo y hoy un barrio en Londres– y en Cádiz, donde se contagió de fiebre amarilla y donde, a pesar de la riqueza de su tutor –Nicolás de la Cruz–, llegó un momento en que debió permanecer encerrado en su pieza por no disponer de la ropa adecuada "para aparecer delante de las gentes". Sus intentos por volver a Chile fueron casi tan penosos como los de Ulises. No lo esperaban aquí, en todo caso, la patria y la amada, sino la patria y la madre, para quien traía un piano que finalmente nunca llegó.

Las interpretaciones sobre el designio histórico de O'Higgins han activado a veces la imaginación de los autores. Me parece que es Alfredo Jocelyn-Holt quien dice que no hay chileno que no tenga su teoría personal sobre el prócer. Lonco Kilapán –por ir algo lejos– lo supone araucano. Su nacimiento, de este modo, estaba programado por las jerarquías indígenas de modo que fuera el propio imperio español, en la persona de una de sus autoridades de ultramar, quien engendrara al guerrero que años más tarde lo despojara de sus dominios.

Estas extensas disquisiciones han sido provocadas por el libro *La poesía chilena*, de Juan Luis Martínez, y son una manera de esclarecer un segmento de su universo simbólico. Las especulaciones de Pablo Letelier Almeida –desarrolladas en su *Mirada esotérica al mundo y a la historia*– nos sirven para fijar algunas ideas adicionales. Dice Letelier que, así como Júpiter acostumbraba a seducir mujeres hermosas convenientemente metamorfoseado en toro, cisne u otros animales, así también Ambrosio O'Higgins, gobernador de Chile, hipnotizó a Isabel Riquelme en la remota localidad de Chillán Viejo y, tras engendrar al hijo, y nominado ya virrey del Perú, se fue a Lima "como si regresara a las lejanas alturas del Olimpo". Ambos caracteres –Júpiter y Ambrosio O'Higgins– representan en opinión del esotérico el poder de la autoridad, la ley y el gobierno. Según Jung, atributos conscientes, atributos paternos.

Las apreciaciones de Letelier se disgregan aun más: como Rómulo, Remo y otros gemelos mitológicos, el niño Bernardo fue alejado del lado de su madre para cumplir un sino superior. Su gemelo astrológico no es otro que José Miguel Carrera, hijo de mortales. Como Rómulo y Remo, a O'Higgins y Carrera les cupo en suerte la misión de formar un estado. Como Remo saltando sobre las inconclusas murallas de Roma, Carrera se adelanta en la guerrilla y se consume en "la montonera de su destino". O'Higgins, en tanto, destinado a triunfar, baja el Valle Central desde la cordillera portando el rayo de Júpiter, patrono tutelar de su nacimiento. El rayo del poder y de la autoridad, que consagra a O'Higgins, es el mismo que fulmina a Carrera.

Géminis es, en consecuencia, la constelación que vigila el nacimiento de Chile independiente: la constelación de los gemelos, llamada así por sus dos estrellas cercanas, de brillo discreto.

Todos estos asuntos pueden parecer –y de hecho son– harto confusos, pero asombra la manera cómo modelos literarios susceptibles de ser considerados puras extravagancias encuentran eco o acomodo en obras de mucha actividad simbólica inconsciente, como la de Juan Luis Martínez.

La poesía chilena fue publicado en 1978, un momento de fuertes restricciones en la lectura política de todas las cosas. El campo de la lectura estaba, por decirlo así, minado, o bien sembrado de alarmas, como la patria misma. La presencia de la serie de banderas chilenas entre las páginas de este libro produjeron, si me acuerdo bien, algunas inquietudes en relación a la ambigua oscuridad del gesto. La poesía chilena misma, en estado de defunción y contenido dentro de una caja que recordaba a una urna, podía sentirse igualmente incomodada.

La obra no es, sin embargo, sólo signo de una época. Ha sobrevivido al paso de los años y al cambio de paisaje, y así la entendemos hoy. Es fascinante el modo como Juan Luis Martínez logra unir en el aire sus filiaciones culturales y a la vez dejar la huella de asuntos bastante inefables. Según toda evidencia, la estrella tonsurada en la cabeza de James King –que aparece en la portada– tiene una relación directa con la estrella solitaria de la bandera chilena. La estrella de la portada es en este caso fotográfica, hecha de luz fija tal como las estrellas reales, pero fotográfica al fin. La tierra del Valle Central de Chile, incorporada a la obra –al fondo de la urna–, es indesmentiblemente real. Se trata de la tierra patria donde se vuelven polvo los huesos de los padres. Es curioso que esta relación atraviese el libro de afuera hacia adentro: la estrella solitaria de la portada y la tierra del fondo se vinculan entre sí como en el caso de los gemelos: un soplo de eternidad que anima a una forma terrestre. Esto sería poco si uno no se topara con la escisión del nombre del autor que firma este libro: Juan Luis Martínez / Juan de Dios Martínez. Esos nombres, ¿son los nombres de quién o quiénes?, ¿quién o quiénes hay detrás de ellos? No puedo decir mucho, y la costumbre me lleva a suponer la presencia de un ego y de un alter ego: los gemelos, por tanto.

"Patria" –una voz acuñada a principios del siglo XV– no significa sino "tierra de los padres". Es eso lo que encontramos junto al libro de Martínez, en la caja que lo contiene: una bolsita con tierra del Valle Central, tierra donde los padres poéticos y el padre carnal del autor yacen diseminados. En el mito y en la esfera real, la patria es un lugar al que invariablemente se intenta volver. *La poesía chilena*, en su enigmático formato de libro-caja, marca ese ímpetu constante. La patria es un lugar que trasciende la frontera geográfica –esa "línea que sólo es imaginaria"– y persigue a las personas en sus más remotos desplazamientos.

Llama la atención, en los certificados de defunción de nuestros poetas "mayores" –documentos incluidos en el libro–, el perceptible uso del pseudónimo. Esa negación del apellido paterno –que en el caso de Neruda tuvo valor legal– equivale a una evidente y deliberada desafiliación de lo propio. No puede tener otro carácter, en cuanto el nombre adoptado no tiene, en las bóvedas del arte, más resonancia que el nombre heredado. En tal sentido, hoy podríamos hablar sin mayores problemas de las obras de Carlos Díaz Loyola, Lucila Godoy, Neftalí Reyes y Vicente García-Huidobro. El libro-caja de Juan Luis Martínez, siendo una restitución a la patria realizada en oscuros momentos, es también una restitución al propio padre. Iluminar la muerte del padre con la muerte de los poetas patrios corresponde a un acto del más alto valor afectivo, a un reconocimiento de pertenencia.

Recuerdo que en una ilimitada conversación con Juan Luis Martínez –una tarde de invierno no sé si de 1984 ó 1985– me contó acerca del último encuentro que tuvo con su padre. Me dijo que éste, antes de despedirse, lo miró prolongadamente. Sólo cuando se enteró –días después– de que Luis Guillermo Martínez Villablanca había muerto, pudo calibrar tristemente la intención y la distancia de esa mirada.

Pienso ahora que la estrella que se corta en la portada de *La poesía chilena* se parece a una mirada perdurable. Su luz está condenada a persistir ante nuestros ojos y a conservar la forma de la estrella extinguida. Esto ilumina un hecho esencial, que anima de por sí el mito de los gemelos: si hay tierra, si hay disolución y muerte, no es menos objetiva en nuestros derroteros humanos la presencia de un soplo que nos alienta a la distancia. Ha escrito Wordsworth en sus versos más misteriosos: "Nuestro nacimiento no es más que un sueño y un olvido / el alma que crece en nosotros –estrella de nuestra vida– /en otra parte tuvo ya su ocaso / y desde lejos llega".

Círculo de piedras
"Una carta", de Claudio Bertoni

Me ha costado entrar a los textos fundamentales de *Una carta*, de Claudio Bertoni. La dificultad, en este caso, no procede de que los textos sean fallidos, ni oscuros, como tampoco del hecho particular de que perturben mi sentido del gusto. Si he de decirlo en estos términos, lo digo: los poemas me gustan mucho. Esto, como lector privado, aislado e íntimo. Pero incluso cuando me he enfrentado a la necesidad de contarle a alguien en qué consiste el libro, no he podido pasar de la idea insatisfactoria de que se trata de unas cartas dirigidas a una mujer, bastante dolorosas por lo demás.

Me parece que son textos que no dejan brecha ni respiro, porque han sido concebidos en una milimétrica amalgama entre la experiencia, la conciencia (la mente que crea, diría Eliot) y la escritura. El procedimiento en que Claudio Bertoni se ha empeñado en estos años –la grabación directa de lo que se ve o de lo que se piensa sobre la "cinta magnética", el traspaso de primera mano del contenido de la conciencia a su registro– no hace más que promover esta simbiosis. Debemos al sentido poético permanente de Bertoni la comprobación feliz de que el resultado no corresponda a una colección de cabezas de pescado, vulgo incoherencias.

Vivir con y para la poesía, ajustar la propia existencia a este supuesto *en el aire*, ha sido para Bertoni una suerte de faro que –según entiendo– en estos últimos meses ha tendido a apagarse. Las circunstancias cambian, los modelos de vida tienen su fecha de expiración, en general ignoramos cuándo hay que darle al ego alimento, oxígeno y libertad y cuándo esta entidad –tan ajena a veces a nosotros mismos– se convierte en un monstruo que nos devuelve una cuota demasiado persistente de sombra. Por lo demás, el modo cómo uno escribe sus poemas no tendría por qué seguir un procedimiento canónico. No hay prescripción posible para un ejercicio que excede siempre al individuo que lo ejecuta. Si la poesía reside en las palabras, siempre es algo más que palabras.

Y, a propósito de palabras, el dolor psíquico –aun cuando conlleve para el sufriente la catarsis de las palabras– suele presentarse como una zona dificultosamente accesible para un interlocutor, tanto en el caso de que éste reconozca en los episodios expuestos experiencias propias como en el caso de que no reconozca nada. ¿Qué se le dice al hombre que pasa por un trance profundo de sufrimiento? ¿Qué análisis prometerle a quien está saturado de sus propias palabras que le hablan por dentro como alentadas por el diablo? (*El diablo en el cuerpo*: tal es el título del inolvidable relato de Raymond Radiguet cuyo tema central es, precisamente, el amor). Sería impropio sugerirle que haga esfuerzos de voluntad, porque él ya sabe del tema. Sería insuficiente ofrecerle compañía, porque no es la nuestra la que busca. Quizás se le podría indicar que no por nada el romanticismo inventó o revivió a la *mujer ángel*, y que tal vez en una de ésas un ejemplar de la especie llegue a tocarle el timbre por bienaventurada equivocación.

Me imagino que para el lector existe un problema semejante. Estos textos de Bertoni están demasiado cerca de la experiencia, y para algunos "lectores reales" reconocer los rasgos de esa experiencia puede resultar ominoso. Hay una soledad de fondo y de forma, un círculo de piedras, una argolla de circo rodeando al hablante de los textos, que a fuerza de manifestar incesantemente las huellas de escarnio que la vida marca en su cuerpo y en su mente termina siendo un muerto junto al cual la normalidad de la vida se cierra con indiferencia.

Éste es el motivo secundario de mi inoperancia como exégeta, y que en todo caso da cuenta de la efectividad de los poemas. El motivo principal es que lo que Bertoni escribe está *sobrecargado* de poesía. Es decir, proporcionalmente desprovisto de retórica poética. La "alta vigilia" que adivinaba Borges en poetas como Blake o Browning uno podría formularla aquí en términos de "baja vigilia", pero vigilia al fin. La intuición –intolerable para la vida cotidiana– de que cada momento o cada cruce de momentos son poéticos se da en Bertoni a condición de que estos segmentos del tiempo incluyan los conceptos sublimes pero no desestimen a la pulga o al refrigerador. Shakespeare veía en el cuerpo de César, disuelto con los siglos en los átomos y transmutado en barros, un material adecuado para taponear un barril de cerveza.

Por otra parte, la poesía siempre pareciera atraer ciertas dosis de ilegibilidad (lo que no quiere decir que tengamos que esforzarnos en fomentarla). La ilegibilidad poética tiene que ver con que no somos totalmente dueños de las palabras que convocamos y, también, con el hecho cierto de que ante la presencia repentina de la poesía (lo sostuvo alguna vez Bremond) el lector tiende a cerrar el libro. Esta renuncia no sucede en la narrativa –que nos induce a seguir leyendo– ni en la mala poesía, que nos provoca una especie de curiosidad –no diré malsana–, al menos a los que mantenemos un mínimo interés por la lógica. Alguna vez, recuerdo, Adolfo Couve me hizo un involuntario halago cuando quiso revisar los originales de un libro mío de poemas: no pasó de los cuatro primeros versos y cerró la carpeta. En ese momento lo tomé como una excentricidad del personaje, pero con los años me di cuenta de que podría tratarse de una prueba de que el lector Couve había vislumbrado alguna hebra de luz poética entre las palabras de las que fui depositario.

Claudio Bertoni pertenece, en mis ordenaciones intelectuales, a una línea de poetas chilenos cuya tradición está viva y cuya relectura me parece recomendable, al margen de la inclusión o de la omisión de cada uno de ellos en las incompletas y al tiempo excesivas antologías que cada tanto se publican. Me refiero a Lihn, a Pohlhammer y a Rodrigo Lira. Todos estos autores, de orientaciones distintas, intersectan en una época –los años setenta-ochenta– y en una voluntad realmente libre frente al engendro textual que deriva o no en la poesía. No es pura coincidencia que al menos tres de ellos, los más jóvenes, hayan intentado filtrar, en algún momento, su racionalismo chileno con la espiritualidad disciplinada, las doctrinas orientales o, al menos, la esoteria: Lira a menudo aventuraba explicaciones que provenían de Gurdjieff; Pohlhammer adscribió a las enseñanzas del gurú Maharaji, y Bertoni ha declarado en más de una oportunidad sus filiaciones con el budismo y con Thomas Merton. Aunque no sería raro que la coincidencia correspondiera a un accidente generacional.

Cambio de tema: las imágenes insistentemente dolorosas y amorosas de los textos de Bertoni me despiertan dos imágenes de biblioteca, que de haberlas encontrado en sus fuentes podrían servir de epígrafe a este texto. Una corresponde a un poema de Marcial, a uno de los poemas no satíricos de Marcial, donde expresa su anhelo de vida –no demasiado distante de la *aurea mediocritas*– y cuyo verso más señero es "quiero un lecho tibio, pero casto". La otra referencia es un recuerdo mínimo de una vieja lectura: el momento en que el narrador-protagonista de *Desesperación*, de Nabokov, mira girar en escusado el pucho que momentos antes ha arrojado su sucesor en los favores de una mujerzuela (no sin odio, por cierto, no sin un recalcitrante rencor). Entre estos dos polos, entre estos dos gestos existenciales se estira el dramatismo de los poemas de Bertoni.

Pero el rencor amoroso tiene más de amor que de rencor, y en este caso su puesta en escena acusa un fenómeno desatendido por las explicaciones de la psicología de bolsillo y acaso también por las de la empastada en tapa dura: la vulnerabilidad masculina. No se sabe de otros textos en la poesía local –como no sea el "Tango del viudo", o algunos poemas de Enrique Lihn, o el hermoso "Ela, elle, ella, she, lei, sie", de Lira– en que se aplique, de un modo tan intenso, el conjuro de las palabras sobre el residuo del desencanto. Si bien la pregunta tendenciosa que dejó flotando Freud (qué quiere una mujer) presuntamente ha sido barrida y fregada por teorías como la del matriarcado, es un hecho que todavía existen en las esferas insomnes del mundo hombres solos a quienes esta pregunta les fustiga la piel: tipos para quienes esta pregunta es cosa viva. No se trata de tangueros engominados, ni de boleristas al acecho, ni de sentimentales perdidos: se trata, simplemente, de hombres confundidos ante las emociones del amor.

Si hubiese canto aquí, en este desencanto aún pringado de desesperación, se parecería más a la distorsión jazzística de un mantra que a los bronces de la lírica española. La desprolijidad con que Bertoni escribe sus textos es un efecto sólo aparente: la fórmula jazz y mantra probablemente delata su temprano acercamiento a la generación beat, aunque hay otras tradiciones circulando en su libro. Matías Rivas señala que algo hay en él de los poemas de Horacio dedicados a mujeres –el tema, el rencor y el uso del vocativo, principalmente–. Yo agregaría los parlamentos climáticos de ciertos dramas contemporáneos (de Tennessee Williams, de Priestley, del mismo Eliot): el momento en que un actor acosado, reducido a su propia voz, larga por fin la verdad que a la vez hiere, ilumina y alivia.

Pequeños amores imposibles
"Jóvenes buenas mozas", de Claudio Bertoni

Hay gente, como Paul Veyne, autor de *La elegía erótica romana*, que sugiere que el amor es una creación cultural y que por lo tanto la experiencia erótica varía necesariamente de tiempo en tiempo. Los menos escépticos, en cambio, prefieren pensar que el amor corresponde a algo inmenso, incontestable y fatal; algo que por sí mismo es un argumento para acciones que van –cuando la realidad de los hechos es adversa– del sufrimiento autodestructivo al crimen pasional.

A esto último podría oponérsele las recomendaciones del sentido común; a lo primero, una pregunta de Enrique Lihn ("la cultura, ¿no es acaso una segunda naturaleza?") y una sospecha: lo que varía a través de las épocas serían más bien los modos de hablar, las explicaciones sobre el amor. Si uno dispusiera, como pedía Luis Oyarzún, de una adecuada "aceptación del mundo", no le cabría sino admitir que el amor es una posibilidad real, a veces peligrosa y siempre abismante, que se nos ofrece con relativa frecuencia en la forma de un desvío en el camino. Al parecer estamos hechos para exponernos unos ante otros, para arriesgar la integridad del yo en la superficie cambiante de un espejo ajeno. No hay motivos, además, para pensar que esta situación haya sido distinta para los individuos de la época de Propercio, de Quevedo o de Juanita la Querendona.

La lectura del libro *Jóvenes buenas mozas*, de Claudio Bertoni, deja resonando este tipo de consideraciones. Se trata, evidentemente, de poemas de amor. Lo que los diferencia de los habituales poemas de amor es que están orientados al amor fugaz. No a la fugacidad final de los grandes amores, sino a la que experimenta el merodeador de calles ante la aparición y desaparición de las musas en cualquier esquina o en cualquier recorrido de la locomoción colectiva ("es tan corta la minifalda / y es tan largo el olvido"). Son mujeres corrientes, pero tan inalcanzables como las que en otras épocas originaron los corteses y adoloridos versos provenzales. Son pequeños amores imposibles.

El personaje, hablante o sujeto de los poemas de Bertoni reacciona ante estas epifanías como si se trataran de su vocación. Se podría decir que su sensibilidad está atenta al llamado de las calles, a la vez dulce y doloroso. El que habla lo hace sin estridencias; las exageraciones –cuando las hay– son parte de su dramatismo humorístico.

Cualquiera que haya leído las obras anteriores de Claudio Bertoni reconocerá en estos poemas un estilo marcado no por la desfachatez, sino por la naturalidad del apunte, del diario de vida o del pensamiento al vuelo. Cualquiera que haya vivido alguna vez el embargo súbito del enamoramiento huidizo reconocerá en estos textos exacerbados los rasgos de esa experiencia común. Registrar tal experiencia –mucho antes que poetizarla– parece ser su objetivo. El efecto poético, sin embargo, funciona aun en los casos de extrema desnudez de lenguaje o incluso a causa de ella: "En el bus / iba una mujer / que se bajó / en Vicuña Mackenna / con Marín. / Eso no más / quería decir".

Para los romanos contemporáneos de Horacio –según Veyne–, el virus del amor atacaba con mayor voracidad a los hombres aficionados al *far niente* o directamente al ocio. Curiosamente, Arlt hace observaciones parecidas en relación a lo que él llama "el Don Juan Tenorio porteño", el tipo urbano cuya vida está consagrada al placer químico de la seducción. Lo presenta, en una de sus crónicas, como un desocupado abatido por la circunstancia de no tener diez centavos con qué pagar la micro donde se va una desconocida que acaba de mirarlo a los ojos: con ella –y por culpa de un impedimento ridículo– se aleja la promesa de la felicidad.

Ya se trate de grafitis mentales, de versos de ocasión, de epigramas o de poemas que logran su aliento a costa de la variación obsesiva de una frase, los textos de *Jóvenes buenas mozas* le transfieren al lector una duda inquietante: que no es tan fácil distinguir entre el enamoramiento y el amor. Ambas categorías aparecen aquí como distintas frecuencias de un solo impulso y de una misma imposibilidad.

Efectos retardados
"En qué quedamos", de Claudio Bertoni

Me doy cuenta de que tengo todos o casi todos los libros de Claudio Bertoni. Claro, me falta la primera edición de *El cansador intrabajable*, publicada en Devon en 1973, pero ese libro no lo tiene nadie, ni el propio Bertoni, me parece.

Si es prodigiosa esa acumulación bibliográfica se debe a que durante años Bertoni fue un escritor semioculto, un tipo de quien se sabían cosas a través de terceros. Era un poeta que no publicaba y que no aparecía mucho por Santiago. Yo lo conocí entre el 79 y el 80, en una perdida noche en La Reina, en una casa a la que creo haber llegado con Roberto Brodsky. No alcanzo a retener los rostros de las personas reunidas en ese lugar, "gente inteligente pero improductiva", según Rodrigo Lira. Meses después vi a Bertoni en una fuente de soda de Arturo Prat con la Alameda, en la mesa del fondo, acompañado de una pílsener y de un cuaderno en el que presumiblemente escribía. No entré. Nos saludamos desde lejos, a través de la vidriera. Alguien me dijo después que él había valorado mi decisión de no interrumpirlo.

Me ha llegado ahora el último libro de Bertoni, *En qué quedamos*, de Ediciones Bordura, gerenteadas por Vicente Undurraga y Tal Pinto. Si un criticón dijera que en esta nueva obra sólo hay "más de lo mismo" no podríamos contradecirlo, pero habría que agregar que en este caso el "más de lo mismo" es un punto a favor. Bertoni siempre ha estado escribiendo un puro libro, en el cual deja entender que la poesía no es cuestión estrictamente de metáforas y carambolas, sino más bien de una cierta vigilancia emocional sobre el curso de la vida en sus detalles mínimos.

Con *En qué quedamos* me sucede lo mismo que la primera vez que leí los textos de Bertoni: una inminente curiosidad me lleva a revisar los poemas en desorden, a cerrar el libro, a abrirlo otra vez. Lo que se produce es una agitación privada. El breve poema sobre la muerte de Gonzalo Millán, con su simpleza cotidiana, vuelve empalagoso e intolerable el recuerdo de la cincuentena de elogios fúnebres que hemos alguna vez escuchado. El problema que Bertoni ha solucionado es el de cómo hablar: cómo hablar poéticamente, por escrito, sin alejarse del modo en el que hablamos –a los demás y a nosotros mismos– todos los condenados o luminosos días de nuestra vida.

Una última cosa: los textos de Bertoni producen un efecto retardado en el lector. Uno queda sumergido en algo así como una hiperrealidad, observando con asombro sus propias manos, la luz del cigarro, el chasquido del fósforo, el contenido del refrigerador, el color del té o el viento en los árboles de más allá.

Rodrigo Lira en el país de los postes

No es raro que en una época de generalizada uniformidad –fines de los años setenta– fuera la facha lo que prioritariamente llamaba la atención en Rodrigo Lira. Las no pocas fotografías que de él se conservan lo muestran ostentando barba, bigotes, patillas y todas las combinaciones posibles de estas prolongaciones capilares. Alternativamente uno podía encontrarlo con corte militar, con el aspecto de un beatnik o con el de un burgués elegante. Lo último solía desconcertar a los choferes de micro cuando Lira quería hacer valer su derecho a pagar pasaje escolar, exhibiendo por lo demás el respectivo carnet. Sus fantasías de vestuario respondían a la necesidad, en su caso permanente, de solucionar problemas prácticos. Así, el jockey, los anteojos, la parka de cuello alto, las rodilleras de cuero y las botas de infantería estaban destinados a permitir que el agua del lluvioso invierno de 1980 escurriera sin perjuicios por su cuerpo.

Este aspecto de la personalidad de Lira quizás no ha sido considerado del todo. Su practicidad correspondía más que nada a preocupaciones de orden teórico y chocaba a cada paso con lo que él denominaba "los postes de la realidad". Una visita furtiva a un topless de la calle San Diego, por ejemplo, lo estimulaba a proyectar críticamente las condiciones del topless ideal, en que los parlantes debían tener una orientación específica y la barra una altura determinada. Le molestaba, en el topless real, que las bailarinas estuvieran un poco desnutridas y mal adiestradas en el baile, o que la música fuera a todas luces inadecuada. Lo mismo valía para las fondas –insistía en que la pista de baile debía estar cubierta de aserrín– o incluso para los precarios shows de los cantantes de las micros. Alguna vez, indignado por las desafinadas de uno de estos artistas sobre ruedas, sacó la voz y alegó que desde el momento en que el sujeto empezaba a cantar los pasajeros se convertían en público, y que como público podían exigir un espectáculo medianamente decente. Por toda respuesta, recibió de parte del acusado un ¡chih! de total escepticismo.

Una inclinación parecida lo llevaba a disentir de la sonrisa general ante situaciones absurdas para todo el mundo. Cuando una noche se quedó en mi casa y fue alojado en la única pieza disponible, no hizo mofa de las ampolletas azules "para enfermo" que mi abuela había hecho instalar en los veladores. Al contrario, opinó que producían una luz muy agradable. En otra ocasión, en la calle, siendo interpelado desde un rincón por un mendigo, que le dijo algo así como "si se va a ir, váyase tranquilo; si se va a quedar, tráigame un pan amasado", consideró que la proposición tenía bastante sentido. Igualmente, en 1981, en un recital de Los Jaivas, estimó "razonable" la opinión que un borracho gritó desde la galería: "Están bien, locos, pero les falta dominio de escena". En estos casos, Lira deliberadamente obviaba que por esos años, mayoritariamente, ya no existían enfermos a los que se prescribiera semipenumbras azules, que la vida de un vagabundo urbano es precisamente una escalonada pérdida del sentido y que la opinión de un individuo en estado de ebriedad no se recibe técnicamente como una opinión.

Su concepto de lo razonable, en este sentido, era extremo, y estaba en perpetuo desajuste con las tristes evidencias cotidianas. Hace poco me contaron que en 1979 ó 1980, atribulado por el descuido que se observaba en los jardines del Pedagógico, se presentó a la oficina de la administración y propuso que a los numerosos agentes que deambulaban por el recinto –familiarmente "sapos"– se les pusiera a regar el pasto. De este modo, mientras espiaban, podían además hacer un servicio a la comunidad universitaria. El funcionario con el que habló le dijo simplemente: "Joven, no sé si usted sabe que estamos en dictadura".

Ésta era la cara seria del humor de Rodrigo Lira, pero disponía, por cierto, de otras caras. Es cosa de asomarse a sus textos para comprobar que siempre se las arreglaba para tocar la nota hilarante de situaciones política o existencialmente dramáticas que él, mediante manipulaciones del lenguaje, desdramatizaba. En relación a la poesía, además, poseía un sexto sentido para detectar la ridiculez o la impostura donde una mayoría se obligaba a emocionarse. De este modo, por ejemplo, no podía dejar de observar hechos como que los efluvios en verso de alguna poetisa celebrada habían sido redactados sobre papel de la Papelera, con el acompañamiento de algún programa radial "americanista", de los que por entonces proporcionaban la música de fondo a la resistencia al gobierno de Pinochet.

Su humor coincidía con lo que se puede entender como humor literario. Es decir, le divertía el desbarajuste que se produce entre la retórica de un texto y la situación representada. He recordado en otra parte ciertas sesiones de estudio para un curso de lingüística en que nos resultó imposible seguir la lectura en voz alta de unos textos de Martinet, referidos a la comunicación de las abejas, a causa de los accesos de risa que a Lira le provocaba el modo en que estaban escritos. Lo mismo nos sucedió otra vez en que tomó al azar de entre mis libros *Chile entre dos Alessandri*, de Arturo Olavarría Bravo, y procedió a hacer –en el registro de Pepe Pato, el personaje de Firulete– la lectura del capítulo dedicado a la fundación de la ACHA (Agrupación Chilena Anticomunista), donde se narraban en estilo heroico minucias grotescas, como la combustión del pelo de un "abnegado muchacho" que manipulaba una bomba incendiaria.

Puede haber sido la pobreza del negocio editorial lo que en esos días llevó a Lira a pensar en las artes de la representación como un modo de divulgar sus poemas, que, por lo demás, dudaba en calificar de poemas (prefería, como se ve en los subtítulos o en las notas que solía añadirles, la denominación de "volada", "investigación" o aun "escrituración"). Sus textos fueron de ese modo alterados casi como libretos para lecturas con público, y en la universidad –en las actividades nocturnas conocidas como peñas– la presencia de Lira se hizo frecuente. No gozaba, por cierto, de todo el crédito de los organizadores, ni siquiera del de los parroquianos. Esto, por la heterodoxia de los textos y de las puestas en escena. Más de una vez sus intervenciones redundaron en que el público se dividiera a favor y en contra. Para la programática cultural de izquierda, en ese momento no parecían plausibles poemas como "El espectador imparcial", donde se graficaba el entrecruzamiento sistemático de dos frentes alegóricos: el de la juventud pinochetista, cuyo emblema viviente era una Miss Chile disfrazada de Virgen del Carmen, y el de la juventud opositora, que aparecía haciendo uso del tótem nerudiano de cartón piedra, en cuyo interior se había dispuesto algo así como un tocacintas, "recitando y recitando".

Como puede apreciarse en algunas fotografías, Lira se presentaba en los escenarios con un grueso rollo de papel, que se iba desparramando por el suelo en la medida en que leía. Es curioso que una performance tan simple como ésta, perfectamente tolerable en la actualidad, en esos tiempos produjera cierto desconcierto. En todo caso, en diciembre de 1979 –exactamente el miércoles 26, día de su cumpleaños–, Lira realizó el recital más extenso de sus producciones. El lugar de los hechos fue el salón de actos del Museo Vicuña Mackenna, ofrecido, según creo, por Carlos Ruiz-Tagle. Con música de Weather Report en el fondo y una especie de oficina como escenografía, Lira leyó en una atmósfera oscura sus cautivantes poemas largos entre las risas de los asistentes, en esta ocasión decididamente proclives al autor. Los textos resultaban cautivantes por el envolvimiento de las aliteraciones y por la proximidad de las referencias. La realidad de esos años –muy bien definida por el artista Carlos Altamirano al señalar que en las mañanas uno amanecía con el techo pegado en la cara– pasaba, Lira mediante, por la catarsis de las risas nerviosas. Los amores frustrados, el absurdo, la sobreproducción de ruido, el provincianismo arrogante, la retórica de los actores sociales: todo eso lo recogía Lira de manera sarcástica y lo hacía aparecer en el encuadre de un Santiago sobrevolado por helicópteros y atravesado por sirenas. Como corolario al recital, por último, sintonizó un aparato de tubos el noticiero de la Radio Nacional –la emisora oficialista–, que en ese momento transmitía, según aclaró Lira, "excelentes noticias".

La vocación histriónica de Rodrigo Lira culminó, muy poco antes de su muerte, con una participación en ¿*Cuánto vale el show?*, del Pequeño Saltamontes. En la oportunidad interpretó uno de los parlamentos de *Otello* que aparecen como ejercicio en el manual de Stanislavsky. Se dio tiempo para hacerlo mal, con lenguaje pomposo y gesticulación exagerada, y luego rectificar sobre la marcha: para ello se puso un sombrero de guerrero japonés que había traído Violeta Parra de uno de sus viajes y que a él le había sido legado por el psiquiatra Arístides Rojas Ladrón de Guevara. El resultado fue en verdad impresionante. Lira dejó vibrando una suerte de silencio televisivo tras recitar el texto con apretado dramatismo en la voz: "Como el Mar Negro, cuya agua helada y flujo violento no vuelven al cauce, sino que irrumpen en el Mar de Mármara y en el Helesponto, así mis negros pensamientos, con pasos airados, no volverán al dulce amor hasta que una venganza dura y plena no los engulla". Con los 8.700 pesos del premio se compró una bicicleta.

UNA CANTINELA MUSITADA
LA POESÍA DE RODRIGO LIRA

En su mayoría, los poemas de Rodrigo Lira fueron escritos entre 1977 y 1981. Ese último año –el de su muerte– Lira se preocupó de darles algo parecido a una edición definitiva: reescribió, diseñó, fotocopió y reunió esos textos en una carpeta que fue enviada al concurso anual de poesía de la Municipalidad de Santiago. Eran versiones de trabajos que sus lectores –o auditores– conocíamos bien, pero aquí aparecían formando parte de un espectáculo en que el tipo dactilográfico alternaba con la letraset y con fotografías y dibujos. El efecto general de esta publicación restringida podría calificarse de circense: primaba, en la gráfica, uno de los semblantes del espíritu que Lira se había preocupado de enfatizar en el último tiempo, por sobre el tono de sus producciones más dramáticas. Entre esos papeles había señales, en todo caso, que cuando ya no era posible hacer nada entendimos como premonitorias de su muerte lamentable: la cita de George Harrison, por ejemplo, incluida en "Angustioso caso de soltería" ("Please don't be long please don't you be very long / Please don't be long or I may be asleep").

Para la poesía chilena, ése fue un período particularmente significativo. Enrique Lihn publicó *París, situación irregular* en 1977, el mismo año de aparición de *La nueva novela*, de Juan Luis Martínez. Dos años más tarde, Raúl Zurita hizo lo propio con *Purgatorio* y Nicanor Parra demostró una revitalización de su escritura con *Sermones y prédicas del Cristo de Elqui*. El mismo Lihn denominó a 1979 –su cincuentenario– como "el año de la mutualidad del yo", y en el contexto de esa celebración Ediciones Ganymedes le publicó *A partir de Manhattan*. Tiempo antes había dado a conocer un opúsculo de envolvente y patagüina retórica: Lihn & Pompier, donde recogía la palabra extensa de un anciano esperpéntico y sombríamente chileno.

El 79, también, Lira ganó el concurso de la revista *La Bicicleta* con su poema "4 tres cientos sesenta y cincos y un 366 de *onces*" y Claudio Bertoni ocupó el tercer lugar del escrutinio. En 1980 Diego Maquieira ya había hecho adelantos de *La Tirana*, y en 1981 Gonzalo Muñoz publicó su primer libro, *Exit*. En fin, la lista es larga y debería incluir también a Erick Pohlhammer y a Ronald Kay, además de las propuestas narrativas de Cristián Huneeus y de Diamela Eltit. De cualquier forma, estas puntualizaciones sirven para dar cuenta de la densidad de la atmósfera poética del momento en que Lira escribía en la relativa soledad de su departamento. Cuando hablo de densidad estoy pensando en un grupo de poetas sin necesarias conexiones orgánicas, pero que se miraban o al menos se divisaban entre sí, y cuyas producciones –todas o casi todas– situaban sus voces en ámbitos distintos al que hasta entonces el lector solía asignarle a la poesía. Enmascaramiento, ventriloquia, desaparición del autor, circulación de hablas, recuperación de los desechos del lenguaje y de la retórica son conceptos que se han usado para explicar los procedimientos en que incurrieron estos autores, cuya gran mayoría, por lo demás, tenía algún vínculo con las artes visuales.

Más que un poeta, Rodrigo Lira se consideraba –lo recuerda Lihn en el prólogo a la primera edición de *Proyecto de obras completas*– un diestro operador del lenguaje con facilidades para los idiomas. Esta definición es importante, en cuanto nos indica aproximadamente el lugar que él se reservaba en la constelación de sus contemporáneos. Podríamos ampliarla, incluso, suponiéndolo un operador de la palabra escrita y de la hablada, un manipulador de las técnicas de impresión a su alcance –de la fotocopia a la copia de planos– y un entusiasta amateur de la representación teatral o, aun, de los ejercicios de dicción.

Lira fue moderno hasta donde se pudo en un país que por entonces experimentábamos como un lugar especialmente aislado. Si hubiese que buscar antecedentes literarios de su obra, habría que pensar más en Cortázar o en algunos textos de Kafka antes que en la tradición poética local. Sus poemas no están escritos con sangre ni con vino tinto ni con limo del terruño, sino más bien –simbólica y literalmente– con la tinta Kores de las cintas de las máquinas de escribir.

Lihn lo llamó "erudito del pop y del pap art". La erudición era consustancial a su persona, si bien ésta era más que nada del tipo clasificatorio. En este sentido, su biblioteca –según su propia opinión– contenía libros curiosos más que buenos. Entre ellos –y éste es un dato que podría adquirir algún interés desde el punto de vista de la psicología de la transferencia– se hacían notar los tomos de la *Enciclopedia Larousse*, que su bisabuelo provenzal –Canguilhem– rescató del barco que lo trajo a Chile en 1906 antes de que éste fuera destruido por un incendio. Los estimables mamotretos eran usados por Lira como materia prima para sus collages: de ahí sacaba ideas, definiciones y dibujos que después articulaba en sus textos.

Rodrigo Lira fue, como nadie, tributario de su época. Su racionalismo, su esoterismo, su léxico, sus preocupaciones sociales y hasta su afectividad tuvieron el sello de los años setenta. Sus poemas, en cambio, donde confluyen todos estos elementos, son leídos hoy con independencia de criterios temporales. Lo que tienen de *verdad* –lo que tienen de poesía– los libera de la incómoda y excluyente misión de documentar un período. Y esta *verdad* está en la operación misma: se produce en el momento en que el diestro operador deja el control deliberado de las formas y se da cuenta de que ha abierto un espacio para que las formas se conecten entre sí. Las palabras, en las obras más extensas de Lira, como "Nil novi", logran crear, en su encadenamiento letárgico, un efecto de profundidad: estos poemas son un lugar adonde uno va cayendo con el vértigo de su "cantinela musitada". Quien tenga dificultades para verificar esta experiencia en la lectura silenciosa –es posible que suceda– puede escuchar las grabaciones del autor o bien ensayar por sí mismo la lectura en voz alta.

ESTADO DE EMERGENCIA
"DECLARACIÓN JURADA", DE RODRIGO LIRA

A mediados de 1981 –el año en que murió–, Rodrigo Lira estuvo empeñado en darles un orden a sus trabajos poéticos. Por un lado agrupó, bajo el título de *Marginalia*, los textos de juventud que no alcanzaron a ser divulgados en revistas ni en presentaciones públicas y de cuyo destino literario no estaba muy seguro. En otro montón quedaron los poemas cuya selección fue la base de *Proyecto de obras completas*, a estas alturas los más conocidos por los lectores.

Fuera de programa, sin embargo, han subsistido otros escritos suyos de naturaleza ocasional. Éstos son, en su mayoría, los que conforman *Declaración jurada*, su nuevo libro póstumo. Aparte de un poema angustioso ("Grecia 907") y de una aventura de escritura colectiva en la que nos embarcamos Lira, Antonio de la Fuente y yo en 1980 ("San Diego ante nosotros"), lo que nos muestra *Declaración jurada* es la inclinación del autor por literaturizar los formatos funcionales: el de las declaraciones judiciales, el de las cartas al director, el de las cartas abiertas ("relativamente abiertas", en su caso), el de los currículos de quienes buscan trabajo.

La intención de estos textos es evidentemente paródica, si bien están pensados para lograr propósitos definidos: en una carta al director de *El Mercurio*, Lira pretende rectificar un cúmulo de informaciones aparecidas en un artículo de Enrique Lafourcade sobre el panorama poético nacional del año 81; en otra carta, a Raúl Zurita, solicita de éste que le ceda su lugar en un recital a realizarse en el contexto del segundo Encuentro de Arte Joven (1980); por medio de "Currículum vitae", en tanto, contestaba un aviso clasificado en que se ofrecía empleo en una agencia publicitaria. Por último, el trabajo que da título al libro, "Declaración jurada" (1977), es a la vez la narración realista de un malentendido callejero y una forma de ponerse el parche ante las eventuales consecuencias que el episodio podría acarrearle en una época de omnipotencia policial.

Me da la impresión de que lo que resulta emocionante en estos textos es el modo en que se deslizan –por detrás del telón de fondo– las huellas de la vida: las del propio Lira y las del país en general. La cesantía, el agobio, la situación existencial de un tipo que se dedica a la poesía son los subtemas de estos constructos en los que Lira no abandona su permanente labor de *bricoleur* sobre la materia del lenguaje. Queda a su paso, como un sedimento, una imagen borrosa de la ciudad en la que todos rendimos por entonces nuestros huesos y nuestras energías.

Éste sería, en principio, una especie de efecto poético ajeno por completo al que asociamos habitualmente a la lírica. Los textos delatan –por parte del autor– una necesidad que lo acompañó siempre: la de escribir y reescribir como fuera, al margen de las circunstancias pero con notoria atención a ellas. Son textos de emergencia, proyectados y realizados para exorcizar una realidad que siempre parecía ir a contrarritmo de los deseos.

A LA SOMBRA DEL ILANG-ILANG
RODRIGO LIRA EN LA MEMORIA

Escribiendo en computador, con las distracciones de internet a la mano, me siento representando el incómodo rol de un viejo actualizado. Hace veinte años, cuando era realmente joven y hacía esfuerzos por no parecerlo, redactaba en una máquina de escribir heredada, un aparato fúnebre de marca Torpedo, un bien muy apreciable para un joven que –como la mayoría de los jóvenes– no disponía de recursos. Trabajaba –es un decir– en el escritorio de mi abuelo, rodeado de sus libros y de los retratos que él había dispuesto en esa pieza: el de su primera esposa detenida en la moda de 1919 y el de su primer hijo, una guagua que sonreía desde la lejana edad de su muerte. Sin duda era un buen lugar: las murallas eran muy altas y la espesa glicina del primer patio filtraba el sol poniente, generando al atardecer una atmósfera suspendida, medio irreal.

A Rodrigo Lira le hacía gracia el anacronismo del escenario. De hecho, me había asignado un papel en su proyecto de puesta en escena de las aventuras retóricas de Gerardo de Pompier, el personaje culturoso, *belle époque* y ultraliterario de Enrique Lihn y Germán Marín. Lo que tenía que hacer, como chambelán del anciano centenario, era sacudirle la levita, la que previamente iba a ser impregnada con naftalina. Lira también se había reído de mí en una caricatura, donde yo aparecía montado en un triciclo repartidor, transportando el ataúd y los libros de mi abuelo: la carga me impedía ver lo que había hacia delante.

Me he acordado intempestivamente de estas cosas, al darme cuenta de que esta semana se cumplen veinte años de la muerte de Lira. Debería hacer esfuerzos para distinguir el Santiago de 1981 del de ahora, porque lo que tengo en el retroproyector mental son solamente imágenes: multitudes prenavideñas en la Alameda, borradas por el sol; noches de la calle San Diego, de Irarrázaval, de la avenida Las Condes (regresos con Lira al ritmo extensivo de su conversación); visitas a la Virgen Mutilada al fondo de un cité de la calle Blas Cañas; pizzas recalentadas en boliches de la Plaza Italia; churrascos durísimos en la extinta fuente de soda Versailles, en San Isidro, a despecho de los espejos de estilo.

Fue en esa calle donde seguimos una mañana a Miguel Serrano, que ingresaba al bar de una sociedad de tipógrafos. Necesitábamos hablar con él a raíz de ciertas investigaciones en las que andábamos. Por formalismo, Lira le preguntó si era Miguel Serrano. El hombre sonrió: "No, pero fíjese qué curioso: soy abogado y ese señor ha sido mi cliente en unos litigios por unos predios". Luego nos dijo todo lo que sabía sobre su defendido y nos despidió amablemente. En este momento me parece que fuimos víctimas de una broma de Miguel Serrano y que el escritor ejercitó ante nosotros el concepto de que el yo es ilusorio o humorístico.

En la tumba de Rodrigo Lira, en el Cementerio General, tendría que florecer el ilang-ilang plantado hace años por su familia. Ese árbol, vaporoso y lumínico, era el que más le gustaba a Lira, quien solía mencionar un texto de Cristián Huneeus dedicado a los ilang-ilang de Santiago. La crónica puede encontrarse hoy en *Artículos de prensa*, libro póstumo de Huneeus, y su tema de fondo es el fenómeno de ver por primera vez lo que ha estado ante los ojos toda la vida.

Mamita linda
"Vírgenes de Chile", de Erick Pohlhammer

Recuerdo un recital de poesía en el Instituto Chileno Norteamericano, en el invierno del 79. Leían Armando Rubio, Erick Pohlhammer y alguien más de quien no retengo más que el fantasma. Pohlhammer tenía que irse temprano, así es que se especificó que leería antes. Creo que esto influyó en la extrañeza de la situación; el hecho es que, mientras él leía sus textos en la sala, se iba acrecentando una atmósfera como de perplejidad y distancia. Al terminar la lectura nadie aplaudió, y Pohlhammer, que andaba con una parka azul, avanzó entre la gente y se fue con destino desconocido.

Se entenderá que en esas ocasiones la poesía mediocre o estrictamente convencional o muy latera siempre es apostillada con algunos aplausos de cortesía por parte del público. La falta de aplauso en este caso significaba que algo había pasado entre el poeta y sus auditores, algo producido por sus palabras: una frecuencia de entendimiento que hubiera sido muy ridículo expresar por medio de ruido de manos.

Me acordé de este episodio leyendo el último libro de Pohlhammer, *Vírgenes de Chile*. Es una especie de maravilla de poesía directa, sin recovecos. Creo que Pohlhammer ha hecho suya en términos prácticos la afirmación de Pound sobre la poesía: *news that remain new*, noticias que permanecen nuevas.

Me cuesta mucho decir en qué sentido la poesía de ese libro es mejor que las toneladas que se publican anualmente. Experimento una resistencia a la explicación en este rubro, en la medida en que las explicaciones, confrontadas a este tipo específico de belleza literaria, son muy parecidas a los aplausos: casi innecesarias, ornamentales y formales.

En el ejercicio de la poesía la libertad es paralizante, pero inevitable como una prueba de fuego y de agua. Al escribir se tiene al frente la hoja o la pantalla en blanco y nada más: no corren en este trance ni el consejo de los postgraduados, ni las normativas de los clásicos, ni los decálogos de los incendiarios. Lo único que hay es ese rumor de palabras oscilantes que vienen con un eco de onda corta. Da lo mismo, para invocar las voces, si uno es poeta famoso o anónimo. Resulta más fácil adscribir a algún movimiento o partido poético donde nos digan cómo hacer las cosas, sólo que por esa vía lo más probable es que se generen palabras muertas. Pohlhammer escribe poesía con la libertad de su lado. Es ésa su ventaja. No le importa si es romántico, o barroco, o chileno, o gringo. Escribe a una distancia exacta de la experiencia, sin alejarse nunca.

La palabra "cerúleo" ha sido una de sus divisas. No creo que le guste particularmente, pero ha logrado crearle a esa palabra y a otras parecidas un contexto de naturalidad. Por otro lado, puede transformar en un verso la expresión "Estadio Regional de Antofagasta", la que desde luego constituye un endecasílabo. Leído en un diario, "Estadio Regional de Antofagasta" es un enunciado informativo. Leído en un poema de Pohlhammer se transforma en la evocación de una realidad polvorienta, lejana o desaparecida.

Gonzalo Muñoz, hombre en fuga

Nunca le pregunté a Gonzalo Muñoz si había algo así como un método en el trasfondo de los poemas de su libro *Exit*, que publicó en 1981 en las Ediciones Archivo, de Juan Luis Martínez. Es una obra que no ha perdido su extrañeza. Quiero decir, en la medida en que se ingresa en los textos tenemos la impresión de que alguien nos ha dejado en un espacio irreal, sensual, lumínico como una proyección. El lenguaje es descriptivo, pero también impredecible. Muñoz podría haber obtenido estas escenas de descartes de películas o forzando metódicamente esos momentos en que se nos configuran en la mente paisajes y situaciones que nunca hemos vivido.

Recuerdo haberle confesado en esos años a Martínez que la poesía de Muñoz no me producía nada. Me dijo que esperara, abrió *Exit* y leyó un poema en voz alta. En ese momento me cayó la teja, por decirlo así. Si en la página impresa no había visto más que una acumulación de signos que no lograba articular, en la cadencia de la voz ajena fluyeron las imágenes, y las palabras se acomodaron una tras otra. O bien: la resonancia y el significado de unas intersectaron con la resonancia y el significado de las otras.

En 1983, en unos recitales que hubo en el Chileno Norteamericano, Enrique Lihn lo presentó junto a otros poetas de su elección (Maquieira, Bertoni, Bolaño). Muñoz leyó un texto llamado "La doble grabación", apoyado por un reproductor de sonido. Nuevamente recurro a las comparaciones: eso era como una batería de palabras rebotando en una cancha de frontón.

A Gonzalo Muñoz lo conocí tiempo después y nos hicimos amigos. Conversábamos mucho, de una manera que hoy me parece confusa sobre todo en lo que respecta a mis intervenciones. A él le interesaban Derrida, Sarduy, entre muchos autores, y también conceptos como la afasia o el mimetismo utilizados, fuera de sus contextos de origen, como modelos generales. Pero más que nada le interesaba, pienso, la conciencia en su experiencia diaria. Era alguien que podía enganchar con las imágenes de un televisor sin volumen o con la infinitud de los focos detenidos en un taco a la hora *peak* en una tarde de invierno.

Había algo doble en la presencia de Gonzalo Muñoz, una especie de trasfondo, como si en el curso de las conversaciones que lo entusiasmaban estuviera además pensando en otra cosa o preparando privadamente la ruta de escape. Cuando se fue a México en el 90 o el 91 pensé que se trataba de un viaje como todos, es decir, una experiencia destinada al regreso. Pero hasta hoy no ha vuelto.

Exit está lleno de figuras en torno a cuyo magnetismo nos quedamos girando. No sabemos bien a qué realidad corresponden, pero nos provocan cierta inquietud emotiva. "Guiñapo de nuevos amaneceres", por ejemplo. ¿Qué es eso? No lo sé; quizás no más que eso: una imagen bella y melancólica. "Guiñapo de nuevos amaneceres". Leo la frase y se me desencadenan tres situaciones: yo mismo caminando por la Alameda con Lira una mañana fría del 78; Buenos Aires de lejos, en medio de un emborronamiento rosado; el grabado *Melancolía I,* de Durero, y en particular la inundación inmóvil en el fondo.

Los arrestos desesperados
de Bruno Vidal

Al momento de escribir esta crónica me llama por teléfono José Díaz, el poeta cuya identidad de chapa es Bruno Vidal. Me habla un rato sobre "la conspiración". Le pregunto a qué conspiración se refiere. Me responde que a todas, que todo es conspiración, que en el Antiguo Testamento ya hay una conspiración: la de Dios contra Abraham.

Siempre que uno conversa con Vidal, no se sabe muy bien lo que él quiere decir, pero se tiene la impresión de que está en efecto diciendo algo –algo pensado, elaborado– por medio de cortinas de humo. Hace un tiempo le propuse hacerle una entrevista para un suplemento dominical: aceptó a condición de que el entrevistador estuviera en la pista de aterrizaje de Pudahuel y el entrevistado en la torre de control, ambos comunicados por walkie-talkie. Luego cambió de idea y decidió redactar él mismo las preguntas y las respuestas. Alcancé a divisar ese trabajo que no fue publicado jamás: todas las aseveraciones de Vidal eran oblicuas, metafóricas, resbalosas. "Hay que mantener una asertividad litúrgica", me dice ahora, en relación a una revista literaria que aparecerá en dos meses más y que estará en su totalidad dedicada a Bruno Vidal. Me sorprendo favorablemente con la noticia y le pregunto quién edita la revista: "Yo, pues, si esto es una conspiración".

Podría llenar varias páginas con ese tipo de diálogos. Todos ellos revelan que Vidal suele proyectar a la vida corriente –al menos a la vida literaria– los mecanismos lingüísticos que operan en su poesía, el humor incluido. Esto podría indignar a algunas personas, que con algo de razón exigen que las declaraciones de un sujeto se atengan transparentemente a lo que éste pretende comunicar. No saber, de hecho, dónde se acaba José Díaz y comienza Bruno Vidal ha originado una cadena de confusiones que han vuelto políticamente ambigua la imagen del autor. ¿Se trata realmente de un fascista? ¿De un aeda de los aparatos de seguridad del régimen militar? ¿De un escolta motorizado simbólico del general Pinochet?

Cuando en 1990 Vidal publicó su primer libro, *Arte marcial*, el reducido gremio de los lectores de poesía pudo asombrarse con la ferocidad mimética de esos textos: mimesis no tanto en el sentido de representación sino como facultad de hacer con las palabras un trabajo camaleónico: de sugerir un mundo ominoso por medio de la imitación de las hablas en curso durante el último período crítico de nuestra historia. Nunca antes el *slang* de la CNI, los ecos de los recursos de amparo, la matraca de las consignas y la retórica de los bandos se había instalado de una manera tan notoria en la poesía chilena. Esto alternado con referencias contextuales a la poesía chilena misma y a íconos de las artes visuales de los años setenta.

Vidal ha vuelto a publicar. Se trata de una obra largamente aplazada cuyo título es *Libro de guardia*. Una opción de lectura es calibrar cuánto más lejos ha llegado Vidal en relación a su primer libro, cuánto arriesga, cuánto repite. Otra –la que me parece que se impone– es ingresar fenomenológicamente en los textos. Claro, se puede pensar que *Libro de guardia* es una prolongación de *Arte marcial* y que condensa sus contenidos. Si en la portada del primero aparece una escena "oblicua e inminente" de un automóvil, una cuneta y unos puchos, en este caso se muestra la imagen frontal y provocadora, con gráfica *upelienta*, de cuatro campesinos enarbolando unos garrotes. La escena podría haber servido, antes del golpe de Estado, para ilustrar un manual de insubordinación agraria; después, para ilustrar los peligros de los cuales los golpistas dijeron habernos librado.

Varios poemas de *Libro de guardia* pueden caer en la categoría de memorables. Quizás el más conmovedor –por el modo en que Vidal articula las frases hechas y la frágil intimidad– es aquel donde un conscripto poco apto para la milicia recibe los consejos de un superior, del capellán y al final de su madre. Es ella, como una auténtica figura medieval (en el sentido que le da Auerbach a esa expresión), quien "le susurra la voz de mando". Le dice: "Hijo mío no me avergüence / Ud. demuestre que es capaz de defender / a la patria / No me haga sentir que no lo he criado / como corresponde / Ud. me hará el favor de responder / como lo que es: / UN HOMBRE HECHO Y DERECHO".

II
Mundos transitorios

Qué has hecho de tu vida, miserable
La delicadeza de Federico Gana

Es curioso que, al menos para la selectiva memoria de los otros, Federico Gana haya llevado consigo la atmósfera melancólica de sus mejores relatos. La mayoría de los testimonios que nos quedan sobre él pone énfasis en su figura, en la estampa del escritor bohemio del anterior cambio de siglo. Alto, algo encorvado, de mirada profunda y extremadamente bondadosa, sosteniendo –como un personaje de Cervantes– la dignidad aristocrática en una realidad de pura subsistencia, aparecía por las calles de Santiago en noches particularmente lluviosas o en tardes invernales, siempre arropado con un abrigo inglés o una capa española, y siempre dispuesto a prolongar el tiempo en conversaciones de cantina.

Su miseria fue, en la etapa final de su vida, tan real y acuciante como la de Pedro Antonio González, pero carecía de resentimiento. "Por delicadeza" –por amor a las letras o por inclinación de su temperamento– había perdido tierras, consumido fortunas y abandonado una posición expectable de abogado. Al contrario que Claudio de Alas, uno de sus amigos nocturnos, no pedía ayuda para sí, sino que trataba de brindársela a los demás. Un solo episodio basta para dar cuenta de su espíritu y del espíritu de su época: vagando por el centro se encontró una vez a Rubén Darío, que venía desmayado de hambre. Completamente capitalizado por las musas, el poeta nicaragüense había pasado tres días sin alimentarse. Gana le alargó de inmediato "un billete nuevo" encareciéndole que se fuera a comer cualquier cosa. Horas más tarde, visitó a Darío en la pieza en que vivía y lo encontró igual de exánime, tirado en un diván. Con la plata se había comprado una flor exótica, y la miraba tristemente.

El libro *Días de campo* –prácticamente el único que publicó Federico Gana– nos ahorra en cierto modo la lectura del tedioso criollismo posterior, con sus exteriores de cartón piedra y sus necesarios diccionarios de localismos en calidad de documento anexo. En *Días de campo* está, evidentemente, el campo chileno, pero no como el pretexto de una reivindicación sino como el lugar de una experiencia. Gana es a la vez un contemplativo y un realista: su realismo está templado por su naturaleza quietista y su retórica está controlada por las limitaciones de la representación. El narrador de sus cuentos es una especie de foco que nos trae paisajes y personajes desde la distancia; las historias, a veces crudas, de inquilinos, medieros y "malentretenidos", nos llegan tamizadas por el *pathos* indolente del narrador. Son historias que le cuentan o que escucha al azar a través de los montones de paja de una trilla. En esto Gana fue aventajado aprendiz del Turguéniev de los *Relatos de un cazador*. Pero, al margen de la técnica literaria, no es casual el hecho de que sea para nosotros más notoria la imagen de su fracaso personal que sus aciertos narrativos. Gana entendió la literatura como un arte, y éste es un compromiso que una vez que se toma induce casi por necesidad la debacle doméstica. La más amarga lucha parece instalarse puertas adentro entre la inquietud creativa y los requerimientos familiares –"el amor filial", para decirlo con palabras de la época–. El pensamiento, ese humo que necesita espacio y gratuidad para expandirse, es fatalmente recusado por los seres cercanos. El aburrimiento y la inacción, largas pistas de despegue de la escritura, no encuentran jamás un lugar en el cual legitimarse.

Pero éstas son sólo especulaciones. Hay datos que indican que Federico Gana amó a la familia que tuvo con Blanca Subercaseaux. Si se separó de ella y luego se aisló en una pieza de la calle San Francisco fue porque vivir como un parásito social le resultaba vergonzante. De hecho, fueron su mujer y sus hijos quienes lo asistieron en sus últimos momentos en un camastro del Hospital San Vicente, el recinto que más temía. El fantasma del arte destruyó la existencia de decenas de contemporáneos de Federico Gana, pero éste tuvo tiempo de esbozar el arrepentimiento: "Qué has hecho de tu vida, miserable", escribió en medio de unos apuntes íntimos. Sus últimas palabras, conforme a la sencillez que observó siempre, no fueron en absoluto notables: simplemente le preguntó a su hijo menor cómo le estaba yendo en el colegio.

JUAN EMAR: DÍAS Y NÚMEROS

Este Jean Emar tan tranquilo y dotado
de extraordinaria *finesse* es un príncipe
charmant de la literatura *avenirista*. Él
no se inmuta jamás, ni le hablen de política. Tiene un buen gusto precoz y extraño, una adivinación genial del más
allá. Cabeza de Baudelaire y a veces
una risa socarrona y sin ruido. Cuando
nos muestra un dibujo de avanzado cu-
bismo y decimos con sinceridad "yo no
comprendo", él responde magnífico:
"Es posible que en algunas transmigra-
ciones sucesivas mi alma llegue a com-
prenderlo".
JOAQUÍN EDWARDS BELLO

Juan Emar (Álvaro Yáñez Bianchi) comenzó tardíamente su carrera
literaria, si en su caso cabe la expresión. En 1935, cuando tenía 42 años,
publicó sus tres primeros libros: *Ayer, Miltín* y *Un año*. En 1937 reincidió
con los deslumbrantes relatos de *Diez* y de ahí en adelante se sumergió
en un ostracismo total.

En ese trance –el de los últimos treinta años de su vida– no dejó,
por cierto, de escribir. En el propiciatorio aislamiento del fundo La
Marquesa (y luego más al sur, en Vilcún) ensayó largamente la partitura
general de una obra magna: *Umbral*.

Dos polos imantaron su vida y su obra: París y el campo chileno. En
el primero vivió en los años de aprendizaje. Frecuentó a Apollinaire, calibró el candoroso desafío de las vanguardias, participó de la fundación
de un grupo pictórico criollo de nombre parisino (el Montparnasse,
con sus amigos Luis Vargas Rozas y Henriette Petit), convivió con Vicente Huidobro y Joaquín Edwards Bello, y se contactó con la literatura
francesa –sobre todo con Proust– en su fuente directa. En cierto modo,
perteneció a esa avanzada sudamericana de afrancesados que, según
Enrique Lihn, polinizaron nuestras letras locales con el polvillo de sus
bibliotecas.

En Chile, fondeado en fundos polvorientos y silenciosos, tuvo tiempo y espacio para ejercitar las excentricidades de las que tanto se ha
escrito, como, por ejemplo, patrocinar carreras de moscas a las que él

mismo arrancaba las alas. Quienes se le aproximaron alguna vez coinciden en recordar su rostro imperturbable, semejante al de Buster Keaton. Con ese rostro sin alegría y con un humor bastante variable, vivía la escritura como un estado de absoluta sustracción: escribir y encamarse (no hay familia chilena que no cuente con un encamado) eran partes constitutivas de un mismo proceso. En tal estado podía permanecer durante meses, sin presentarse ni siquiera al comedor, apretujando el tiempo en los pesados legajos mecanografiados de su obra.

Borges ha dicho de Macedonio Fernández que escribía más que nada para pensar; por eso no tenía un interés muy notorio por las publicaciones de sus textos (de hecho, cuando abandonaba por fuerza mayor alguna casa de pensión, olvidaba sus escritos en las cajoneras). Sobre Juan Emar –que en el espíritu y en la letra a veces se asemeja a Macedonio– se podría hacer una consideración parecida. Aparentemente, no le interesaba mucho la realidad como podría entenderla un realista. Tampoco le interesaba la literatura como podría entenderla un estilista (ni siquiera un creacionista, como su amigo Huidobro, que alguna vez dijo que escribía "con las patas"). Le interesaba más bien esa delgada malla en que el lenguaje y la realidad –¿su postulado?– se confunden, se separan, se superponen transparentándose. Por tanto, Juan Emar, al escribir, se planteaba ante sus lectores como el contemplador de un proceso harto obsesivo: el de la misma escritura.

Un notable efecto de extrañeza se desliza de tal modo por las páginas de sus obras. Un episodio operático repetido catorce veces, o la descripción de un bicho que atraviesa los tenebrosos *Cantos de Maldoror* –sufriendo sobre su desmejorado organismo las ponzoñosas atmósferas literarias de Lautréamont–, produce un espejismo de realidad en cuyo reflejo se divisa la referencia del lenguaje.

El antirrealista Emar –al que le cautivaba especialmente la numerología– buscó siempre la constricción o el apoyo de formas casi cabalísticas. Es el caso de *Umbral*, donde el texto sigue los arquitrabes de una puerta, y de *Diez*, donde los relatos aparecen ordenados según el canon de "cuatro animales, tres mujeres, dos sitios, un vicio". *Un año* está armado también sobre la base de una estructura peculiar: la de un diario de vida que considera estrictamente el primer día de cada mes del año.

El último día de este diario –donde aparecen las anotaciones del 31 de diciembre– es la excepción al modelo y sirve para anudar el círculo: para que el año se cierre definitivamente. Este último día Emar lo deja para recapitulación de cada una de las frases iniciales de los capítulos del libro (un círculo dentro de otro). De este modo, reescribe: "Hoy he amanecido, hecho, estado, asistido, traspuesto, vivido, vagado, pasado, venido, vuelto, sido, regresado, releído".

Sin embargo –como pasa siempre–, el libro se deja leer con distracción de sus fórmulas. (En este terreno cualquier exceso es posible: no hay que olvidar que en el siglo XIX prosperaron en Europa ciertas lecturas de la *Divina comedia* según la simbología masónica, en las que Dante Alighieri aparecía como un adelantado carbonario que cifraba mensajes para sus cofrades del futuro). Más sorprendentes parecen, en *Un año*, las remisiones explícitas a obras de la tradición literaria, a las que Emar "hace trabajar" al interior de la suya, conectando activamente su texto con los ajenos. Así pasa en el citado caso del insecto que ingresa a *Los cantos de Maldoror* por la última letra de la última página y sale por la primera letra de la primera página. Lee o experimenta el libro –cabalísticamente– deshaciendo el camino habitual de la lectura.

En una crónica aparecida en 1935, Eduardo Barrios –el autor de *Gran señor y rajadiablos*, y cuñado de Juan Emar– creyó ver operando en sus textos los mecanismos de los sueños o aun los del desvelo. Acusó, además, en el momento, la falta de recibimiento crítico para los libros del escritor al que Wilhelm Mann consideraba como un lugar aparte "dentro de la literatura excéntrica chilena". Esta ausencia de respuesta o de lectura ha sido uno de los destinos de Emar, particularmente celebrado por el periodismo en su necesidad de ingresar de vez en cuando un nuevo miembro a la melancólica galería de "los grandes olvidados".

Juan Emar no ha sido en absoluto olvidado. Su aislamiento fue más que nada una opción biográfica y su obra ha tenido simplemente un tiempo distinto al de otras producciones más sonoras. Hoy día –más de treinta años después de su muerte– ha llegado para él el momento de la expansión, el momento de comunicar sus especulaciones sobre lo incomunicable. Hoy, cuando se suman una a otra sus publicaciones, Juan Emar es leído, comentado, y en Chile comienza a hacerse imprescindible.

Marcela Paz en el chiflón del tiempo

Me asombra comprobar que aún conservo el primer libro que tuve: *Caramelos de luz*, poemas y relatos infantiles de Marcela Paz.

El ejemplar está en calidad de chongo –le faltan las páginas iniciales y las finales–, pero ha sobrevivido a varios cambios de casa y a algunos escrutinios y purgas de libros. Lo guardo en un cajón y a veces lo reviso a modo de experimento: al recorrer sus ilustraciones creo que puedo sentir algo del abismo que esas escenas dibujadas a carbón me producían a los cuatro años, la sensación hipnótica de ingresar a un paisaje desconocido a través de una ventana. Y me veo, por cierto, a mí mismo a los cuatro años, en la entrada de mi casa, junto a la mampara de vidrios estriados, reptando sobre las baldosas de ajedrez con esa seriedad que advirtió Nietzsche en los juegos de los niños.

Ignoro el porqué de la fijación con ese tipo de cosas, pero desde cierta edad en adelante las imágenes más lejanas del propio pasado comienzan a visitarlo a uno con frecuencia.

Claro, me veo a mí mismo cuando niño, jugando en un rincón, y veo a mi hijo pasar por ahí, y por un momento da la impresión de que ambos niños están demasiado cerca, compartiendo la quietud de una tarde común. Entre ellos sólo media un pálpito o un chiflón. "El hombre que regresa tendrá que enfrentar al niño que dejó", escribió Eliot en una de sus obras de teatro.

Me parece que lo que hizo Marcela Paz –particularmente en la atesorable serie de *Papelucho*– fue dar con el tono exacto de esa refracción entre la mente de un adulto y la del niño. No incurrió en lo que se entiende a menudo como literatura infantil, es decir, en esa impostación de la voz del narrador equivalente al falsete de las funciones de títeres. Al contrario, en sus novelas le cede la palabra al niño, un niño observador, de inteligencia normal, para quien las preguntas más feroces –sobre la muerte, por ejemplo– están vinculadas a sus juegos y a la vida diaria y prosaica de su familia.

Durante casi un siglo, en nuestra narrativa han predominado la pesadez, la densidad y el tenebrismo. Las novelas chilenas parecen escritas alternativamente con borra o con horchata, según la extracción social de cada autor. Marcela Paz desarrolló una obra del todo ajena a ese espíritu: su prosa avanza rápido, sus diálogos corresponden a cómo habla la gente, no desdeña el humor, y las psicologías de sus personajes aparecen muy nítidas a través de la mirada de Papelucho. Las situaciones son reconociblemente chilenas, pero sin color local. Para mí, cuando niño, la casa de Papelucho era simplemente una versión de la mía y me imagino que ésa es la experiencia normal de todos los lectores.

Alguien podría pensar que el centenario de Marcela Paz, que se celebra en estos días, va a ser ocasión para desempolvar la memoria de la escritora. No creo que haya necesidad. Papelucho es actual para todo el mundo, sus historias se venden en la calle a precio de huevo. Es una obra viva que le interesa a la gente sin necesidad de marketing ni de fomentos a la lectura.

Las calles marcadas de José Donoso

Cuando en la adolescencia empecé a leer a José Donoso y a leer acerca de él, me formé una imagen suya íntimamente vinculada a la ciudad, específicamente a ciertos sectores de Santiago que tenían con mi vida una relación tangencial. Imaginaba, por ejemplo, cuando ingresaba mentalmente al "mundo de Donoso", cierta fuente de soda muy ordenada y circunspecta, con mesas en la vereda, bajo un toldo verde, que tendría que haber estado en una calle ancha no lejana a Pocuro o a Eliodoro Yáñez. Para mí ese lugar corresponde a un recuerdo impreciso de la infancia –un lugar por el que pasé sólo una vez con mi padre a tomar una Coca-Cola–, pero lo remití más tarde, vía Donoso, a un universo literario ajeno.

Con los años me di cuenta de que en lo que Donoso escribió –y en lo que Donoso finalmente "fue"– no existe nada suficientemente ajeno. Nuestras vidas chilenas están cifradas o indagadas en sus páginas al punto de que hoy, cuando pensamos en el tejido social del que estamos hechos –o bien en "las estructuras inexorables de parentesco", según expresión de Andrés Gallardo–, sabemos que sus mecanismos más sordos y escondidos ya fueron visitados por Donoso, como si hubiese tenido el privilegio de descender al Hades y volver.

El concepto "donosiano" ha trascendido la jerga de la academia y hoy pertenece a un habla casi cotidiana. Una infancia "donosiana" siempre incluye una abuela matriarcal un poco fálica, un caserón que no se termina de conocer jamás y una familia ampliada que incluye en sus márgenes a parientes de paso, allegados, empleadas seculares e individuos satelitales a medias dedicados al servicio y al merodeo. Es posible, sin embargo, que el tipo de espacio en el que suceden los relatos más significativos de José Donoso ya haya terminado de desaparecer. Ni el interior de las casas ni la configuración de la ciudad parecen ser las mismas que uno imaginó como atmósfera y fondo de sus historias. Se trataba, en sus obras, de la figura de una realidad de por sí decadente e inestable. Él hablaba de "esa cosa podridita de la sociedad chilena": lo podridito quizás se apoderó del conjunto y luego todo sucumbió a la disolución.

La película que hizo Silvio Caiozzi a partir de *Coronación*, por ejemplo, naufragó en este aspecto. Sin duda es una película atractiva, una de esas películas que uno quisiera volver a ver en ciertos estados de ánimo, y además es fiel, se dirá, "al espíritu de Donoso". Pero la mirada de un santiaguino atento advierte en ella un desfase temporal y espacial. ¿Dónde está la casa que se muestra en la película? ¿En Beaucheff, en San Miguel? ¿Los acontecimientos se verifican en la época del *personal stereo*? Y no estoy hablando de locaciones específicas ni de mezquindades cronológicas, sino precisamente de espíritu: espíritu de la ciudad y espíritu de los tiempos.

Es cierto que el cine recorta y recompone todo, y que su relato visual sólo debe ajustarse a las coherencias internas, pero la decadencia se da en segmentos y momentos muy particulares. No es lo mismo, en este sentido, una familia chilena que ha perdido el estatus en 1900 que otra que ha sufrido esa adversidad en 1850.

La última vez que creo haber visto a José Donoso fue una tarde en la Feria del Libro, poco antes de que muriera. Lo observé un rato: estaba sentado en el stand de Alfaguara, solo, sonriente, un poco abstraído del mundo. Se trataba de uno de esos momentos vacíos en esta clase de actividades, en el que la intensidad decrece, los locutores dejan de transmitir y el público se disgrega. Si yo hubiese tenido quince años, hubiera encontrado que ése era el instante ideal para sortear la timidez y acercarse a un gran escritor, sin secretarios, figurones de ocasión ni viejas intimidantes. A los quince años hubiera tenido diez mil preguntas urgentes que hacerle.

La escena que refiero es humana y verosímil. Donoso, según recuerdo, no se veía incómodo por estar solo. El momentáneo cese del interés general no hería su vanidad. Se lo veía más bien plácidamente sumergido en un punto aislado de la enorme bóveda de la Estación Mapocho. Daba la impresión de no querer estar en ninguna otra parte.

Ese año o el anterior se hablaba con algo de sorna de que Donoso "pasaba todo el día en la feria". Enrique Lafourcade incluso –quien vendía sus libros al lado de afuera de la estación como una especie de protesta por algo– hizo un chiste: dijo que Salman Rushdie, quien andaba por entonces en Chile casi de incógnito, había sido visto en la feria disfrazado de José Donoso.

Donoso quizás estaba más allá del bien y del mal, por decirlo así, o más allá de la estúpida dignidad. Simplemente quería estar cerca de la multitud y recibir halagos y firmar muchos libros. Yo creo que los que exhiben con insistencia su desprecio a la fama son aquellos que sienten terror de no alcanzarla jamás.

Los lugares aúricos de la vida de Donoso están más o menos claros. Él mismo se ha encargado de detallar el mapa en textos y entrevistas. Es una línea que va desde la zona oriente de Providencia hasta la calle Ejército y que se prolonga hacia las inmediaciones de la Quinta Normal. Si uno proyecta esta constante sobre la realidad de los años treinta y cuarenta –los años de absorción del mundo, en el caso del escritor–, se dará cuenta de que encubre un proceso de cambios sociales no exento de cierto dramatismo. Providencia misma era en ese período una zona en formación que involucraba también nuevas formas de vida, sobre todo por la presencia de inmigrantes de alguna solvencia, que crearon ahí nuevos colegios, promovieron deportes impensados, gestionaron clubes y crearon barrios adscritos al modelo de la "ciudad jardín". Anexo todavía a remanentes campestres, el sector presentaba una notoria diferencia con el barrio tradicional, de líneas frías y solemnes (a despecho de algunos desvaríos arquitectónicos), en el que la calle Ejército era un eje cívico militar: conectaba la republicana Alameda con el Parque Cousiño de los desfiles y sobre todo con la Escuela Militar.

Lo siguiente es conocido: ante el recrudecimiento de las revueltas populares y de la cohesión política del "pueblo", la clase alta comenzó en ese momento a abandonar el sector céntrico, temerosa de los saqueos y de otras amenazas. Se corrió al oriente, a Providencia, en parte, pero sobre todo a El Golf, un poco más arriba.

Que sirva esta digresión para especular con lo que Donoso debió haber experimentado en su niñez y primera juventud: una suerte de mudanza permanente, mudanza física, de las costumbres, de la psicología social; sacudimiento y desempolvamiento, en suma. Esto sin dejar de considerar además el hecho de que él provenía de Talca y que había conocido la acritud orgullosa de los provincianos de familia ("no quiero toparme con ese roto deforme", había dicho alguna vez el talquino doctor Hederra sobre un pintor de apellido Umaña, amigo suyo de la infancia).

Un documental sobre José Donoso filmado en los años setenta por Carlos Flores realiza un recorrido en auto por la ciudad con la guía del propio escritor: un registro de las calles por las que anduvo en su época de formación. Uno quisiera igualmente volver a ver este documental, en particular por esas escenas en tránsito que nos permiten mirar las calles acoplados en la mirada de Donoso. Por esta vía y por otros numerosos testimonios sabemos que la Quinta Normal, en la experiencia de Donoso, era el lugar más allá del límite, adonde llegaba para pasar las horas muertas y donde hizo contacto con miembros de "la ralea", la gente a la que no se accedía dentro del círculo de la ciudad ilustrada.

La obra literaria de José Donoso no se agota en los empeños formales de *El obsceno pájaro de la noche* –su exitoso tributo al *Zeitgeist*–. Yo diría incluso que está viva en la medida en que al recorrer hoy nuestra ciudad cambiante la citamos mentalmente. Cada vez que vemos, por ejemplo, en los barrios más viejos, unas ventanas tapiadas con ladrillos, tratamos de descifrar este misterio con las palabras de Donoso resonando en el fondo. Al menos hasta antes del actual "boom inmobiliario", las ventanas tapiadas eran algo así como un símbolo de Santiago, al menos en lo que tiene que ver con las vidas obstruidas, con las existencias ocultas y con la ceguera en general.

A propósito de ceguera: Germán Marín me contaba que en los días posteriores a la salida de *Coronación* se encontró con Donoso en una esquina de Buenos Aires. En su calidad de residente en Buenos Aires, Marín se vio en la necesidad de invitar a almorzar al escritor recién publicado, y –teniendo algunos vislumbres de su onda– decidió que lo mejor era llevarlo a un restaurante para comerciantes callejeros ciegos que había en el Paseo Colón, cerca de los muelles. La elección fue equivocada: a Donoso la humorada no le resultó graciosa. Se manifestó visiblemente incómodo y, más aun, levemente atemorizado ante la catadura de la clientela.

Es posible, como decía al principio, que el mundo de Donoso –el nuestro– se haya extinguido y que lo que percibimos de él no sea más que una prolongada luz inerte. Ya a principios de los años noventa se dio un hecho que podría ser simbólico en este sentido. Donoso le había pedido a los alumnos de un taller literario que contaran sus vidas. Todos hablaron de caserones inmensos, con viejas "saliendo de los baños".

Uno de los alumnos, Alberto Fuguet, sólo podía referir una vida promedio en un barrio indistinto de California, en una casa igual a cientos de casas, sin misterios ni glamour. Ambos se llevaron un poco mal en ese trance. Al saber que Fuguet no conocía a Dostoievski, Donoso lo expulsó del taller, indignado. Antes de irse, Fuguet le contestó: y usted no conoce a Bukowski.

Y una última anécdota: en el invierno de 1981, Rodrigo Lira y algunos miembros del inorgánico grupo Chamico (versión chacreada del grupo Mandrágora), irrumpimos en un seminario de literatura chilena organizada en una ONG de la calle Miguel Claro. Lira había preparado una intervención circense, en la cual él, con un pito en la boca y una nariz de payaso en la nariz, se reservaba el rol del señor Corales. Había un panfleto que repartir y serpentinas para desenrollar sobre las cabezas de los invitados, entre los cuales recuerdo a Lihn, Parra, Edwards, Zurita, Coloane, Guillermo Blanco. Pero algo no funcionó: todos los involucrados se manearon con las serpentinas. A la salida, Donoso, casi con ataque de risa, nos dijo: "¡El problema es que ustedes no son de la generación de las serpentinas!". Mi amigo Perico Cordovez le respondió: "Claro, es que somos de la generación de las bombas molotov", lo que si bien en la práctica no era cierto funcionó bastante bien como chiste.

Como fuera, al final de su vida Donoso nos dejó su obra más sorprendente: *Conjeturas sobre la memoria de mi tribu*. Me parece que ese libro es –o está en vías de ser– algo parecido a un clásico de la autobiografía y del ensayo. Casi no importa que haya entre sus páginas fragmentos de ficción. El autor parte de la base, de hecho, de que la reconstrucción biográfica y la ficción están compuestas de la misma deleznable materia y de que llega un momento en la existencia en que se diluyen los severos límites que separan lo vivido y lo soñado.

EL MUNDO ES UNA CASA
JOSÉ DONOSO A LA DISTANCIA

Una tarde de hace treinta años, José Donoso visitó a Ezra Pound en su villa de Rapallo, el pequeño puerto italiano donde *il miglior fabbro* vivió sus silenciosos últimos días tras ser liberado del manicomio en Estados Unidos. Pound ya no quería hablar. De hecho, Donoso debió ocultar su condición de periodista. La crónica que publicó posteriormente en *Ercilla* habla de un auto averiado y del viejo poeta despidiéndose a la distancia. La foto adjunta muestra a un Donoso imberbe, distante, con los mismos gruesos anteojos con que lo vemos hoy doblar por Pedro de Valdivia hacia Galvarino Gallardo, en las inmediaciones de su casa actual.

El primer viaje que Donoso hizo en su vida fue un esfuerzo de aprendizaje: se fue –terminada la segunda guerra mundial– a la pampa magallánica. Acicateado por Jack London y otras lecturas, quería empaparse de "la vida", conocer hombres notables, salir de la esfera familiar que ahogaba su adolescencia. Pero todo fue un fracaso: el viaje no le sirvió para nada. Sus mejores recuerdos de entonces prescinden de las cantadas virtudes de la vida rústica y subrayan el descubrimiento del mundo de Proust.

Después sus pasos lo llevaron a Princeton, donde rutilaba el aura de Thomas Mann o de Einstein, que daba ahí clases magistrales. Fue en los ficheros de la biblioteca universitaria donde Donoso se encontró con un nombre que sería gravitante en su propia historia literaria: el de Henry James. El título de una de sus novelas más famosas recuerda la frase que el padre de James escribió en una carta a su hijo: *El obsceno pájaro de la noche*.

Como la recurrida ciudad de Kavafis, Santiago y su "atmósfera demoledora" han perseguido a José Donoso donde haya ido. En Ciudad de México o en el pétreo Calaceite –en España–, se diría que siempre se mantuvo como un paseante del Parque Forestal, acompañado por las serpentinas fantasmas de las viejas fiestas entre las sombras boscosas.

"Fantasmas" y "obsesiones" son palabras escogidas del diccionario donosiano, y las casas donde vivió años ha –en la calle Ejército, en la primera infancia; en la calle Holanda, en la adolescencia– son hoy complejas prolongaciones de su inconsciente ("tu consciente es una lata; tu inconsciente, una maravilla", le dijo alguna vez Cristián Huneeus). De cualquier modo, es visible que esas casas son para Donoso como fueron para Enrique Lihn los dos patios del Liceo Alemán, que le infligieron un habla de la que nunca pudo salir.

Otro saludo para Carlos Ruiz-Tagle

No confío mucho en la memoria, que suele dar por reales sucesos imaginados y modificar a su arbitrio circunstancias y cronologías. Por este motivo no me atrevo a afirmar cabalmente que la primera vez que escuché el nombre y la voz de Carlos Ruiz-Tagle fue hacia 1980, en la parte final de un caset donde venía la música de *Darwin!*, el maravilloso disco del grupo italiano Banco del Mutuo Soccorso.

El caset –casero, por lo demás– era de Rodrigo Lira y circuló por Santiago en infinitas y cada vez más degradadas copias. La presencia de Ruiz-Tagle en el contexto del rock progresivo se tendría que haber debido a que Lira hizo grabar la música en la misma cinta donde antes había grabado una conversación con él. La voz de Ruiz-Tagle parecía segura y fluida, y se notaba empeñado en analizar la situación psicológica y existencial de Lira, quien intervenía más bien con preguntas. El hecho no es inverosímil: a fines del 79 Lira había dado un recital de poesía en el Museo Vicuña Mackenna, del cual Ruiz-Tagle era director. Es más, en uno de sus "Poemas ecológicos" había mencionado la fuente con peces que hay o había en el antejardín de ese museo. Denunciaba las deficiencias del hábitat de los peces, en la medida en que pasaban la noche insomnes a causa de los focos que alumbraba el agua, absorbiendo además la mugre de las palomas que se bañaban en el lugar.

Con el tiempo pude enterarme de que Carlos Ruiz-Tagle venía escribiendo y publicando desde la época de El Joven Laurel. Sin embargo, su obra no me produjo en principio ningún tipo de efecto. Los jóvenes de todas las épocas anhelan encontrar en la literatura desviaciones formales y ferocidad de cualquier tono, serio o humorístico. Ruiz-Tagle se nos aparecía como un escritor de frecuencia media o más bien baja. Ninguno de los que por entonces bordeábamos los veinte años estábamos para amabilidades, humor sutil y autobiografías exentas de dramatismo.

No necesito ni decir que pasados algunos años la perspectiva me cambió en ciento ochenta grados. Llegó un momento en que leí con abismado interés los libros de Ruiz-Tagle, que no eran en absoluto difíciles de conseguir: *El lloradero, Cuentos de Santiago, Primera instancia, Cortometraje, Memorias de pantalón corto, Memorias de pantalón largo,* en fin.

Con Ruiz-Tagle aprendí que el "sujeto humorístico" no tiene necesariamente que corresponder a la figura de un individuo mordaz, aislado en un punto de observación que le permite considerar a sus semejantes mientras secreta una sustancia biliosa en cada acceso de risa. No, lo suyo era otra cosa. Se podría decir que en su obra había un plan antirromántico, si es que esta expresión no fuese tan estridente. Ruiz-Tagle no apostaba a la originalidad ni a la genialidad. Era un escritor prescindente, dispuesto, en líneas generales, a aceptar el mundo tal como éste se le había ofrecido. La sensación de alivio que provoca la lectura de sus textos procede de este aireado punto de vista.

En sus relatos y en sus memorias la tristeza y el humor son indistinguibles. Creo que suscribía la idea de que las mayores peculiaridades se encuentran en medio de la gente común y de que la vida cotidiana, con sus conversaciones impredecibles, con sus rutinas, con sus atmósferas, puede llegar a producir momentos de suspensión o de irrealidad.

Un hermano de mi padre me presentó al escritor en 1987, fugazmente, en el pasillo de una oficina. Aparte de las palabras obligatorias del saludo, no intercambiamos otras. Hubo un lapso de silencio durante el cual me fijé en su camisa azul y en el pelo liso que le caía oblicuamente sobre la frente, remitiendo de alguna manera al colegial que alguna vez había sido. Luego, cada uno se fue por su lado.

Nos saludamos tres o cuatro veces más, a la pasada, cuando nos cruzamos en la calle, sin intercambiar palabras. En esas ocasiones pude observar que en su mirada aún campeaba el brillo inexpresable de la juventud. Su muerte, a principios de los noventa, fue sorpresiva para todos.

Mientras intentaba cerrar esta crónica me llegó un mail de Antonio de la Fuente, desde Lovaina. Me decía: "¿Estás escribiendo algo sobre Ruiz-Tagle? Sin duda sabes que Parra lo menciona en su famoso *Discurso de Guadalajara*, a principios de los noventa. Es Ruiz-Tagle quien le aconsejó hablar de la muerte a los mexicanos y a los pocos días murió él mismo".

GERMÁN MARÍN, ESCRITOR DE CIRCUNSTANCIAS

Desde que volvió de su larga estadía en Barcelona, Germán Marín ha vivido en un pequeño departamento de Providencia. De sus conversaciones se infiere que su retina literaria registra con asiduidad los detalles de la vida del barrio: los movimientos de los habitantes de los edificios adyacentes al suyo, la rutina de los conserjes, la personalidad del kiosquero o la catadura del hombre que revisa el medidor del gas. Todos esos seres aparentes encubren historias posibles. En la imaginación de Marín serían historias pasionales, absurdas o macabras, aunque sin perder de vista la estela carbónica de humor que acompaña –en sus relatos– a las acciones humanas.

Es claro, en todo caso, que Marín escribe fundamentalmente a partir de sí mismo. Se trata del sí mismo de la memoria, que es también, por cierto, un otro yo, mirado a la distancia. Como a los realistas decimonónicos, la indagación psicológica de una figura central le permite abrir el foco hacia las regiones anexas –sociales, temporales– con las que esta figura está dramáticamente vinculada.

A Germán Marín es posible encontrarlo más que nada en dos zonas de Santiago: en Providencia, en el eje que va desde el Lomit's hasta el Tavelli, y en el barrio Lastarria, donde hasta hace poco iba tres veces por semana para cumplir con sus funciones de editor en Random House Mondadori. Se le ve activo, peloteando los achaques corporales; siempre tiene algún trabajo en proceso: probables novelas y reediciones de algunos de sus libros, iniciativas cuya demanda no lo absorbe lo suficiente como para dejar de preocuparse de los libros de los demás.

Para los escritores más jóvenes Marín ha sido un abridor de caminos. Nunca ha exigido ni propiciado en los otros una escritura tributaria de la suya. A veces se inmiscuye en las mentes ajenas tratando de remover los elementos literarios que puedan contener. Tras cada conversación con él uno sale particularmente estimulado, convencido de que aún existen muchos libros por escribir. No hay nada programático en este influjo: se da simplemente como resultado de la curiosidad y del entusiasmo del escritor.

Germán Marín, cuya época de iniciación fueron los años sesenta en todo su rango, se asombra de que los escritores actuales anden en auto, rehúyan los vinos pestíferos y no zanjen sus disputas a golpes. Sus mismos relatos de las riñas de la vieja guardia son hoy inverosímiles. En ellos aparecen, por mencionar un par de casos, Martín Cerda peleándose a combos en la ribera del Mapocho y el propio Marín intentando arrojar a Ariel Dorfman por una ventana de la Casa Central de la Universidad Católica.

"He sabido algo muy grave, algo que lo involucra, señor Merino", puede ser el enunciado inicial de un telefonazo mañanero de Marín. Lo dice con palabras lentas, tono insinuante y esa voz cavernosa que tanto celebra la prensa. Pero no hay que alarmarse, porque nunca pasa nada. La velada amenaza corresponde más bien a un mecanismo humorístico que le es muy propio y a una forma de comprometer al interlocutor –mediante el suspenso– para tomarse un café en Providencia en algún momento del día. Durante un tiempo sus amigos lo apodamos La Diana, debido a su afición a llamarnos por teléfono a horas muy tempranas y en alusión indirecta también a su pasado militar.

Las novelas de Germán Marín tienen algo del animismo de Balzac. Me cuesta encontrar actualmente otro autor chileno para quien los lugares donde suceden los acontecimientos sean tan relevantes como los hechos mismos. El narrador de los libros de Marín, por lo general también protagonista, pareciera sentir la necesidad de precisar los detalles de cada circunstancia que le toca contar. Su conciencia se expande ante cada eventualidad como las ondas excéntricas en la superficie del agua.

Es fácil que semejante inclinación derive en una experiencia del mundo hecha sólo de asociaciones e inferencias, es decir, en un aplazamiento indefinido de la historia misma. Lo raro es que para Marín el rodeo circunstancial parece ser la única forma de relatar una cadena de sucesos. Las "cosas que contar", en su caso, son inseparables de las escenas físicas. Es un rasgo que caracteriza también la conversación de Marín. Todas sus iniciativas en este rubro tienden a transformarse en relato. Posee igualmente un humor literario que lo lleva a proyectar derivaciones absurdas o estrambóticas de situaciones banales de la vida diaria. Muchas veces sus amigos no sabemos si habla en serio o en chunga, y tampoco si sus relatos orales corresponden a episodios que vivió o inventó. Ha llegado alguna vez a atrapar la atención de sus oyentes con una historia de ribetes escandalosos, pero después se ha sabido que lo que hacía era indagar qué recepción podría lograr el argumento de una probable novela.

Por otra parte, leyendo libros suyos de apariencia autobiográfica como *Las Cien Águilas* o *La ola muerta*, se hace inútil el ejercicio de determinar el grado de apego que mantienen hacia los hechos reales. Son, por supuesto, historias filtradas por el tamiz de varios cedazos: segmentadas por la subjetividad, procesadas por la memoria y potenciadas por una imaginación realista. Para el lector, finalmente, es innecesario determinar si todo lo que se cuenta en estos libros es susceptible de ser constatado. Tampoco es relevante enfatizar que se trata de pura ficción.

Marín es un escritor "de frases largas", que terminan, al cabo de unos cuantos párrafos, por producir una inminencia de vértigo. Parecen permanentemente a punto de fallar, pero nunca lo hacen. Progresan una tras otra generando la ilusión de un ritmo sostenido e hipnótico. Lo que uno tiene ante los ojos al leer es una extensa y profunda realidad, cualquiera sea su procedencia, y la experiencia invariable de ser absorbido por ella es el efecto principal de la lectura. Que al finalizar la última página obtengamos un destilado de la condición humana constituye una discreta alegría adicional.

No sabría por dónde partir si tuviese que elegir un libro de Marín por sobre los demás. Mencionaría sin duda *Conversaciones para solitarios*, un volumen de textos breves del que recuerdo las absurdas e hilarantes cartas que hacen de la vida vecinal un espectáculo descabellado, y no dejaría fuera *Ídola*, sobre todo por la amplia escena inicial que contiene la arquetípica destrucción de Santiago, una catástrofe improbable que reconocemos como si residiera en nuestra memoria profunda. ¿Y qué decir de *La ola muerta*, que es algo así como una educación sentimental bosquejada sobre el plano de Buenos Aires?

Capítulo aparte es *El palacio de la risa*. Se trata, en primera instancia, de la historia de un lugar áurico: la vieja mansión con su parque anexo cuyo espacio en ruinas es escrutado por la memoria del narrador en el intento de recuperar acontecimientos centrales y laterales de su propia vida. En este empeño el relato se mueve entre el presente y el pasado como si estas categorías fueran órbitas interdependientes. La historia –que encubre episodios terribles– no está contada jamás directamente: siempre aparece mediada por el velo translúcido de las evocaciones, demorada por las averiguaciones casi policiales y relativizada por las inferencias. Es, por así decirlo, una historia construida en segundos y terceros planos. La única situación a la que el lector accede de una manera inequívoca corresponde a la prolongada escena inicial: el protagonista (Marín o su alter ego) deambulando por ese espacio depreciado mientras ejecuta un ejercicio existencial de reconocimiento. Habrá quienes descubran en la imagen de la vieja casona una proyección simbólica de los avatares de la vida del país: desde sus comienzos de palaciega austeridad en el siglo XIX –en los inicios de la república– hasta la vulgarización comercial de los años sesenta, donde los nuevos dueños intentan aprovechar la atmósfera aristocrática para su promoción y venta. El desenlace irónico –que completa el sentido del título– se produce cuando la casa es expropiada por la DINA tras el golpe de estado y transformada en cuartel o centro de torturas.

Podemos pensar en Germán Marín como un escritor realista, si bien a veces ostenta la hiperestesia de un simbolista. Como sea, es claro que para él la realidad es una esfera compleja donde las acciones humanas tienen un correlato sensible. Las gradaciones de la luz a través de una ventana o el olor que desprende la lluvia de los caminos arcillosos importan tanto, en su caso, como los hechos mismos. El arte narrativo de Marín consiste en fundir –mediante sus largas frases de oscilante equilibrio– los heterogéneos materiales de la experiencia.

Un camino abandonado
El desenfoque de Adolfo Couve

I

Tengo, apoyada entre los libros de un estante con puertas de vidrio, una fotografía de Adolfo Couve, una postal comprada hace un par de años en una librería del centro. Más de alguna vez, midiendo con los pasos el estrecho espacio de mi encierro, complicado por alguna encrucijada existencial o por un problema literario, he divisado más allá del reflejo el gesto un poco burlón que Couve adopta en esa imagen, y he tenido la impresión de que efectivamente se está riendo de mí y he terminado riéndome yo mismo.

Creo que es La Rochefoucauld el que dice, en uno de sus aforismos, que los pequeños fracasos de los amigos siempre nos reportan un poco de satisfacción. En ese sentido entiendo la proyección fantasmal de esa fotografía en mis momentos de crisis, que por cierto son estados que se disipan ante cualquier cambio de circunstancias y que más tarde se vuelven, repasados por la memoria, extraños e injustificables en su intensidad.

El lugar donde está la foto de Couve es una especie de pequeño mundo sumergido en una atmósfera ocre, sobre todo en los instantes en que el sol oblicuo del poniente o una lámpara de alabastro alumbran las partículas de polvo. De todos los objetos de ese recinto podría decirse que están vivos y muertos, que pertenecen al pasado y que a la vez se fueron quedando ahí para indicarme íntimamente algo de mi presente. No se trata, en ningún caso, de nada parecido al extenso inventario de *La casa de la vida*, el museo privado de Mario Praz, sino de cosas sin valor aparente: un par de utensilios de escritorio provenientes de un campo familiar, una lupa de hueso, un espejo dental inventado por mi padre, la fotografía desenfocada de mi hermano y de mi abuela en la costanera de Algarrobo en 1983, una postal de un cuadro en que aparece Keats en el momento de escuchar el canto del ruiseñor en un parque de Londres.

No me atrevería a calificar este rincón de mi vida como "anacrónico". Hay algo odioso e incomprensivo en esa palabra, que tanto se le aplicó a la obra literaria de Couve –si no al autor mismo– a través de la prensa. Si hemos de aceptar esa denominación en su caso, sólo cabría hacerlo en un punto: en su insistencia de considerar la novela como un arte, lo que quizás es un problema hoy abandonado. Couve eligió, en este sentido, un camino que se había estrechado lo suficiente en el curso del siglo XX como para que ya no lo transitara nadie.

El concepto del arte de la novela estuvo más vivo que nunca al asumirlo Henry James y, al otro lado del mar de Inglaterra, Flaubert y Turguéniev. La audaz sugerencia de Priestley, respecto a que James armó una teoría magistral sólo para ocultar sus debilidades narrativas y reforzar sus capacidades, se explica por haber sido planteada en un período en el cual la vida, en su aspecto tumultuoso, caótico, contaminado y desgarrador, había hecho entrada en la verosimilitud de la ficción. Por supuesto, es posible que James *inconscientemente* haya configurado una explicación general que le convenía, más que a nada, a sus propias obras, pero basta revisar su prólogo a una de sus novelas, *Retrato de una dama*, para darse cuenta de que sus intenciones teóricas eran sinceras. Todo está ahí: la realidad como categoría psicológica evanescente, la incomodidad ante la tiranía del argumento, el símil de la escritura con la pintura y con la música, la reducción de la acción a la mirada, la suposición de que la vida de cualquier persona conforma una figura no del todo develada pero susceptible de ser vagamente aprehendida.

La realidad de James no era social en el sentido en que podemos entender hoy esa palabra, sino temporal, y más cercana, por lo mismo, a la poesía. Si retrató ambientes de tenso refinamiento (en relación a los cuales los de mediana pobreza funcionaban como satélites), si se detuvo en recargados interiores y en parques privados donde la vida, en su dureza práctica, quedaba como suspendida, simplemente se podría afirmar que en ello estaba siendo tributario de su época. Lo mismo puede verse en las pinturas de sus coetáneos Whistler y John Singer Sargent. Este último, convertido después de 1900 en el retratista oficial de la aristocracia inglesa, tras haber confeccionado cientos de minuciosos retratos que todavía nos seducen por el abismo cifrado en los rostros, declaró en carta a un amigo: "¡Odio pintar retratos!". Tal exasperación jamás se filtró hacia sus cuadros, y no se nota en ellos nada que no sea el apego a un oficio y a una porción del mundo.

En el estrecho camino de la novela como arte hay un problema central: el cruce del tiempo del relato con el tiempo de la historia. Alguien podrá advertir con razón que esos espejismos ya están en el *Quijote*, pero para James fueron constitutivos de su modo de representar la vida. Si Joyce, como escribió Pound, "tomó el arte de la novela en el punto donde la había dejado Flaubert", se podría inferir que James fue el intermediario. Después, en este empeño, se ha manifestado Nabokov, pero es posible que haya sido Samuel Beckett –con la realidad sin referencias de *El innombrable*– el último y solitario caminante de esa tradición.

Adolfo Couve quedó igualmente en un punto de este camino, pero en un punto intermedio. Podría haber suscrito la famosa apreciación de James: "¿Qué es el personaje si no la determinación del acontecimiento? ¿Y qué es el acontecimiento si no la ilustración del personaje? [...]. Que una mujer esté de pie, con su mano apoyada sobre la mesa, mirándolo a uno de una cierta manera, es un acontecimiento, y, si no lo es, me parece que sería difícil decir qué es".

El empeño de Couve en rechazar las formas más frecuentes de la disolución narrativa tenía que ver con la idea de que la realidad era susceptible de ser afirmada y representada. O bien, especulo ahora, con la convicción de que al menos en Chile a la realidad no se le podía extender su certificado de defunción. Se sentía, por lo demás y a veces, vanguardista, a contracorriente de la opinión común. Creía en la figura del artista y entendía, junto con ello, que a un artista nadie –salvo los epónimos de su propia tradición– tenía derecho a indicarle obligatorias señales de ruta.

II

Muchas veces no sabemos con qué grado de esfuerzo fue escrito un libro que nos deslumbra. No hay indicios que nos hagan visible si el autor calibró conscientemente cada una de sus palabras o si éstas fueron fluyendo sobre el papel a velocidad de crucero. Al menos en *Madame Bovary*, un narrador de trabajosa escritura como Flaubert puede haber logrado la técnica suficiente para que los parches, las vueltas atrás y las "penosas interpolaciones" de su proceso creativo no sean advertidos por el lector. El método de Flaubert era estrictamente personal. Puede ser reproducido por otros escritores de sensibilidad parecida a la suya, pero en sí mismo no asegura nada. Que haya mucho trabajo tras una obra literaria no le agrega ningún valor específico, sobre todo si nos resulta aburrida.

Adolfo Couve quiso asignarle a la dificultad de escribir el *plus* de una categoría estética. De hecho, le interesaba escribir en la medida en que no le era fácil hacerlo, según decía. Detestaba la anécdota, tanto en el arte como en la literatura. Ponía como ejemplo dos esculturas santiaguinas: la del general Baquedano y la Fuente Alemana. La primera la consideraba aburrida pero buena; es decir, económica, sintética, realista. La otra, en su concepto, era una plasta barroca, cuentera, entretenida.

Alguna vez Marcelo Matthey –el autor de *Sobre cosas que me han pasado*– fue a ver a Couve a Cartagena. Éste le dijo que su libro le había gustado porque en él no pasaba nada. Puso otro ejemplo: cuando uno ve en la televisión una película con explosiones y choques, puede predecir aproximadamente la secuencia de las imágenes, y la experiencia se hace burda y consabida. Cuando muestran, en cambio, a una mujer pelando papas o colgando la ropa, no se sabe lo que va a pasar: la escena se basta a sí misma.

III

Insistir hoy en el anacronismo narrativo de Adolfo Couve es un contrasentido, considerando que la literatura se alimenta de su pasado y que las empeñosas novedades del rubro muchas veces están destinadas a la extinción instantánea. Si Couve se mantuvo –en la mayoría de sus obras– dentro de una cancha rayada por Flaubert en la segunda mitad del siglo XIX, lo hizo para iluminar experiencias locales y actuales con el que consideraba el mayor instrumental disponible. En sus obras suelen fundirse en un mismo plano aspectos de la realidad que la costumbre nos hace ver como distantes: el pasado y el presente, por ejemplo, o bien el campo chileno –con sus sequedades y sus quilas– y la sutil mirada de una conciencia hipersensible a las bellas apariencias del mundo.

En un texto de ocasión, Adriana Valdés nos conmina a pensar en un presente no unidimensional, "un presente de pliegues y repliegues, en que se dan a la vez anticipaciones del futuro (que no sabemos cuál será) y reconstrucciones del pasado (que tampoco sabemos exactamente cuál ha sido)". Y prosigue: "Visto así, el pretendido 'anacronismo' de Couve se transforma en un desafío crítico. Ya lo han visto así los jóvenes en relación con su literatura: sospechan que no sólo no es anacrónico ni extemporáneo, sino que, además, es profundamente actual".

Mirar la realidad chilena –desde Chile– con los ojos de un europeo es quizás una manera muy chilena de plantear las cosas, y Couve fue tributario de esta modalidad. Entendió nuestra existencia local no en términos de mestizaje –ese concepto que siempre involucra una especie de reclamo–, sino más bien como el permanente desenfoque de un modelo lejano en relación a los hechos de la vida.

Desde las anotaciones fugaces y poéticas de *Alamiro* (1966) hasta el dictado delirante de la novela póstuma *Cuando pienso en mi falta de cabeza* (2000), dos temas parecen capitalizar su trabajo: la infancia sumergida en el tiempo y el sacerdocio del arte, que al final termina siendo más bien un pacto en letra chica con el Maligno. Es en esta última obra donde Couve –dejando por fin espacio a los caudales del inconsciente– rompió con el modelo esteticista que lo llevó a extremar en sus relatos la economía del lenguaje, cuando buscaba el ideal francés de "la palabra justa".

Cuando pienso en mi falta de cabeza es la reformulación de un libro inmediatamente anterior, *La comedia del arte*, y a ambos los distancia un rasgo significativo: la dosis de conciencia. A través de los años, me sigue pareciendo que la historia de *La comedia del arte* está basada en un plan alegórico demasiado evidente, en el cual se enfrentan las figuras de la fotografía y de la pintura por medio de personajes de cartón piedra. Es lo mismo que le comenté a Couve en una melancólica conversación que tuvimos en el invierno de 94 o del 95, encerrados en un Volvo 66 que yo tenía por entonces, mientras llovía dramáticamente en Santiago. El consideraba, por el contrario, que con esa obra había llegado a un tope o franqueado una línea. Mientras yo hablaba, Couve me miraba con la sonrisa casi condescendiente: en aquella extraña escena de sofoco yo era el que no entendía lo que tendría que haberme resultado emocionante o sublime. La discrepancia nos alejó durante un tiempo sin mayores explicaciones. Simplemente yo había herido con objeciones sus certezas estéticas, a las que quería aferrarse.

Algo pasó después: en 1997 publiqué el libro *Santiago de memoria*, que no era más que una recopilación de crónicas de tema santiaguino. Couve desacreditó minuciosamente ese libro: objetaba en sus páginas la presencia de anécdotas. "La anécdota es el opio del pueblo", solía decir en sus clases de pintura. Me lo anunció por teléfono, claramente, sin intenciones ocultas: "Me cargó ese libro". Una amiga en común me siguió dando en la misma línea: "¡Por qué sientes la obligación de entretener!".

Un par de meses después publiqué otro libro, esta vez de poemas: *Melancolía artificial*, que había guardado durante siete años. Se lo mandé a Couve por correo una tarde y a la mañana siguiente –increíblemente el envío llegó a Cartagena en un par de horas– me llamó por teléfono: "Esto sí, pues, esto sí que es literatura". Couve conocía ese libro, o al menos conocía los primeros versos del primer poema. En una ocasión muy anterior se lo había mostrado en el altillo de la calle Lyon donde yo vivía. El leyó durante menos de un minuto y cerró bruscamente la carpeta. Me dijo que no quería saber más, que ahí había poesía real y que era suficiente.

Entendí su gesto como un halago. Recordé lo que dice Bremond: que la narrativa nos impulsa a continuar leyendo siempre, pero que la poesía, en cambio, cuando aparece en una maraña de palabras, nos induce a cerrar el libro y a quedarnos con la resonancia de los últimos versos leídos.

La poesía era finalmente, en su caso, un motivo de aspiración y de vacilaciones. Couve pensaba –ahora se me ocurre– que se podía llegar a ella mediante el trabajo de las palabras: pulir, intercambiar, eliminar. Y le obsesionaba un poco el tema. Recitaba de memoria esos versos de Eliot: "The women come and go / talking about Michelangelo". Alguna vez me preguntó si Enrique Lihn sería un gran poeta y lo mismo sobre Juan Luis Martínez. Él no estaba seguro de sus grandezas y yo no estaba seguro de lo que significaba la expresión "un gran poeta".

Pero, de cualquier forma, quizás al margen de los forzamientos conscientes, Couve se aproximó bastante al aura de la poesía en sus textos fragmentarios y en los más extensamente narrativos. En ellos hay muchos ejemplos de lo que en uno u otro caso podríamos llamar iluminaciones o epifanías o destellos. Está la escena final de *En los desórdenes de junio*, con esa especie de planeo sobre la casa familiar afirmada en las rocas que concluye en esta frase: "Si me dicen que alguien ha muerto en esta casa, yo les probaré que se ha dormido". Están también las desvaídas imágenes de *El picadero* y de *La lección de pintura*, o las zarzas que se incendian sin motivo aparente en uno de los caminos rurales de *Cuando pienso en mi falta de cabeza*.

No obstante, hay otros pasajes en los cuales el momento evanescente de la epifanía está vinculado estructuralmente al relato. Un ejemplo es el cuadro central de *El cumpleaños del señor Balande*, una sucesión de parlamentos insustanciales, severamente frívolos, tras los cuales desaparecen poco a poco sus enunciantes, los invitados borrosos de una reunión familiar. En este escena inmóvil, que en algo recuerda "A game of chess", de Eliot, los únicos personajes en los cuales se vislumbra una dimensión humana son a la vez los únicos que tienen rostro, mostrado por lo demás de manera indirecta: un tío viejo, ausente, cuya cara se refleja por un instante en una vidriera llena de cachivaches costosos, y la mujer de Balande, de quien se ve al pasar un retrato convencional colgado en la pared.

Por otra parte, acaso el efecto más hermoso logrado por Adolfo Couve se verifica en "Las mamparas del Sagrado Corazón", una suerte de relato de iniciación. Se trata, me parece, de la secuencia inicial, en la cual el niño que ha terminado el colegio viaja en tren de vuelta al campo de sus padres. Se diría que el personaje, en ese trance, se incorpora a la vida real y a la vez retorna al amnios o a alguna clase de matriz. En un principio, mientras todavía alumbra la luz de la tarde, el narrador describe, con fluida linealidad, el presente en estado puro: la sucesión de paisajes que aparecen ante los ojos del niño a través de la ventana: andenes, ramales en desuso, suburbios ferroviarios y campos progresivamente definidos. Más tarde, cuando se hace de noche y sólo es posible vislumbrar los reflejos macilentos del interior del tren sobre los vidrios, la narración se vuelve también "hacia dentro": es la hora de la reminiscencia y de la introspección. A instancias de la marcha adormecedora de la máquina, lo que toma lugar en la conciencia del personaje son los detalles de la vida que recién ha perdido y que ha dejado definitivamente atrás.

Adolfo Couve desde la última fila

Cuando murió Adolfo Couve –la tarde en que me comunicaron su muerte por teléfono– salí a caminar y bajé al centro por Huérfanos: aglomeración a la hora de la salida de las oficinas, marejadas de rostros, miradas, muecas, viento tibio de otoño embargado por emanaciones de maní confitado y papas fritas, vitrinas de librerías con sus resaltadas ofertas, kioscos de diarios, cafés con piernas, humo de tubos de escape, rumor de conversaciones, pregones y chiflidos.

No creo que en este caso el nombre de esa calle amerite una observación psicoanalítica –simplemente era la calle que tenía más a la mano–, pero de todos modos no dejé de acordarme de la muerte de mi padre y de lo que había sentido en su momento: que el universo continuaba su curso imperturbable. La vida, en su dimensión infinita, seguía reproduciéndose en el escenario de todos los días.

Acumulo palabras al escribir y me doy cuenta de que no logro dar con la atmósfera exacta de ese instante, que me cuesta equilibrar en el lenguaje el peso específico de la realidad. Ese problema –el de la representación literaria– era para Couve un motivo que estaba detrás de su escritura. No le interesaba la imaginación, ni mucho menos la anécdota. Suponiendo que existe un modo exacto de aproximarse a esa evanescencia material que denominamos el mundo, ocupó –como se sabe– mucho tiempo en el proceso de reducción de sus novelas, para despojarlas de palabras innecesarias. Se extremó en este esfuerzo al punto de entregar alguna vez a una editorial una novela de doce páginas y se indignó cuando le informaron que no podían publicársela. "Son mediocres", reclamaba, "no les interesa la literatura, están obsesionados con el canto". Con "el canto" se refería al lomo del libro.

Esa fijación restrictiva –que él identificaba con la poesía– se hizo añicos en su novela póstuma, *Cuando pienso en mi falta de cabeza*. Es otra ahí la idea predominante: que hay una voz que le dicta su tarea al escritor. La presencia de esta voz inconsciente resulta tan ominosa como la de uno de los personajes del libro, un inquietante anticuario que recorre pueblos chicos, inefable como el demonio y a cuyo paso se incendian las zarzas de los campos costeros.

Pienso en Couve ahora, sin intermediación de aniversarios, porque echo de menos su conversación y una de sus cualidades características: la de solucionar el dramatismo frecuente de la existencia por medio del humor. Incluso le caían bien –como le contó a Claudia Donoso en una entrevista– los alumnos que en sus clases se sentaban en la última fila a reírse de lo que hablaba. No veía este hecho como burla, sino como una necesidad de volver a vivir la experiencia de la risa.

Me parece que era un hombre que tendía a la síntesis, que no había para él circunstancias estrictamente solemnes ni estrictamente vulgares. Pensaba, de igual modo, que lo americano se definía por su modelo europeo sin quedarle debiendo nada a cambio. Le gustaba alumbrar los momentos en que Rembrandt se conecta con la Matadero-Palma o Pascal con el vocinglerío de la trilla, o en que un manojo de cochayuyos humea sobre un plato ribeteado de oro.

Fenomenología del pícaro
Las bestias negras de Marcelo Mellado

Cada cierto tiempo soy absorbido por la escritura de Marcelo Mellado. Entiendo que ésta corresponde al destilado de una experiencia, una experiencia quizás deliberada, la que busca el escritor al fijar sus domicilios en ciudades de provincia o en localidades rurales de economías rústicas e infraestructura deficitaria. En estos lugares su primera iniciativa consiste en conectarse con el poder local –"el power", en sus irónicas palabras–, que vendría a ser una parodia real de otros poderes, más centrales, más voluminosos y efectivos.

A raíz de esta especie de obsesión, Mellado sería lo más cercano a la figura del escritor como sacerdote de su oficio (que vio Borges en Flaubert), e incluso el que más ha acercado los conceptos de arte y vida. No hay bucolismo alguno en su visión, ni plañidez costumbrista. Más bien lo que hace es desplegar un instrumental de observación a través del cual las cosas aparecen con intolerable crudeza. Tal es el *pathos* humorístico de su narrativa. Sus personajes no tienen derecho a ninguna redención social: parecen condenados a replicar con sus vidas un modelo feble: el del pícaro.

La técnica de representación que usa Mellado es compleja. Los personajes hablan una lengua de supervivencia proyectada en las posibilidades que vislumbran en los rubros de la burocracia, de la cultura oficial y/o marginal (que son tan parecidas) y en las nuevas amalgamas ofrecidas por el Chile actual: el ecoturismo poético y gastronómico, por ejemplo. En tanto, el lenguaje del narrador oscila entre la carta detallada, el informe y la "crítica cultural", heredero del estructuralismo, el postestructuralismo y otras jergas difíciles.

Disfruté mucho en su momento los relatos del libro *El objetor*, sobre todo aquel en el que el narrador describe en un análisis simbólico el despertar encañado de un cantante de boleros en su pieza de pensión. Y ese otro, "Lecciones de gasfitería general", en el cual la distancia amorosa va siendo dilatada por las consideraciones que el narrador hace sobre los problemas múltiples de una casa presumiblemente ñuñoína. La poesía y el arte como posicionamiento desesperado de sus autores configuran la bestia negra de Mellado, el objeto de sus imprecaciones y de su desprecio: las pequeñas y agotadoras triquiñuelas en que sus detentores se involucran para conseguir capital monetario y simbólico.

Hay algo importante, un efecto que logran estos textos: que la vida tal como uno la intuye se desliza por debajo de un aparataje de palabras. Mellado no dice una cosa por otra, sino todas las que puede de una sola vez.

Su último libro –*Ciudadanos de baja intensidad*– tiene para mí dos momentos inolvidables: el relato "No iré a Madrid", una recusación del prurito de cierta juventud por ir a encontrar la medida de sí misma en las ciudades prestigiosas del mundo; y esa extensa complicación por medio de la cual el protagonista-narrador se vincula a un inspector municipal recalcitrante, con el ominoso temblor de fondo permanente de unos bulldozers o de unas motoniveladoras.

III
COSAS QUE PASAN

Joaquín Edwards Bello:
pensar en crónica

Tres libros recientes han renovado el interés por la figura de Joaquín Edwards Bello: *Un trasatlántico varado en el Mapocho*, de Cecilia García-Huidobro; *El inútil de la familia*, de Jorge Edwards, y *Faltaban sólo unas horas*, de Salvador Benadava. El primero es una compilación de entrevistas y documentos, el segundo una novela y el último una colección de ensayos, pero los tres indagan en la compleja personalidad del escritor. A cuarenta años de su muerte nos siguen cautivando sus pequeñas mañas, su altivez, su incomodidad, sus desdenes, sus recuerdos de mundos extinguidos, y queremos cerrar los círculos de su biografía que él deliberadamente dejó inconclusos.

Edwards Bello es para nosotros un autor cercano, si bien alguna vez él declaró que escribía para ser leído en el instante y no dentro de cincuenta años. Su desprecio por los preciosismos del estilo es equivalente al que sentía por el engolamiento en la vida social, por lo libresco, por la erudición, por el análisis exacerbado. Suponía que de los libros publicados en su época sobrevivirían los de escritura imperfecta pero viva. La crítica literaria le resultaba indiferente, en cuanto contaba con el apoyo de la multitud de lectores que agotaban sus novelas.

Se consideraba a sí mismo "nervioso", lo que en lenguaje de su tiempo equivalía a lo que ahora llamamos "neurótico". No le gustaban demasiado los contemplativos ni los pomposos. Parecía querer estar en el centro bullente de la vida, donde éste se presentara, si bien en sus últimos años defendió su derecho a acostarse temprano y a no asistir a comidas ni manifestaciones. En las entrevistas que dio en el lapso correspondiente al primer volumen de sus *Crónicas reunidas* –comienzos de los años veinte– se mostraba impulsivo, energético y confiado en el valor de sus obras. Vivía con su madre y sus dos niños en una quinta de la calle Montolín (actual Liceo 7), lugar que por entonces era un suburbio campestre. La casa y el parque impresionaban a los visitantes, entre los cuales se contaba su admirado Ortega y Gasset. Según todos los testimonios, se trataba de un ambiente relativamente fastuoso, o al menos acorde con la elegancia del dueño de casa.

Las crónicas de Joaquín Edwards tienen el sello particular de la velocidad: en ellas el autor evita el exceso de adjetivos, pasa de un tema a otro, no pide disculpas antes de lanzar una opinión arbitraria o inconveniente; en un momento está en el presente y en el otro, con cierta melancolía, en las zonas irrecuperables de un pasado feliz. Los suyos son textos inconstantes, desordenados y, sobre todo, como le gustaba pensar, vivos. En alguna parte dice que el mejor halago que recibió por su escritura fue éste: "Se ve que usted tiene *caballo*".

Había una cierta obsesión a comienzos de los años veinte por la imagen de la velocidad. Los agonistas del período –incluido Edwards Bello– se veían a sí mismos como partícipes de un mundo vertiginoso, marcado por las novedades tecnológicas: el teléfono, la radio, los autos, los aviones. Se hablaba continuamente de la "estridencia del jazz-band". Había una clara conciencia de habitar un mundo moderno, que dejaba atrás de un modo violento la pausada vida de la preguerra o de la *belle époque*. El propio diario *La Nación* –en el que Joaquín Edwards permaneció durante cuarenta años– había sido planteado como un diario moderno, donde se privilegiaba la escritura informativa (contra el estilo conceptuoso del siglo XIX) y donde fermentaban las nuevas ideas de renovación del país. El primer gobierno de Arturo Alessandri conectó igualmente con este espíritu: *facta non verba*, acción y no palabras.

Edwards Bello fue un entusiasta del caudillo, en especial por su proyecto democratizador, pero admiraba también a Portales. En este sentido, siempre fue un defensor de los gobiernos fuertes y autoritarios. La politiquería, producto de las alianzas parlamentarias, le parecía una suerte de vicio o de lacra. Propugnaba igualmente el ideario de un "nacionalismo continental", inspirado en el pensamiento de Raúl Haya de la Torre.

Contaba Alfonso Calderón que a principios de los años sesenta no le fue fácil convencer a Edwards Bello de publicar selecciones de sus textos periodísticos en formato de libro, pues el cronista estimaba que éstos simplemente morían con el diario. Es decir, de alguna manera suponía que la mayor parte de su producción correspondía a literatura de consumo rápido, o bien estrictamente periodismo: material que estaba supeditado al destino vibrante y fugaz de la noticia.

Para nosotros está claro que esto no es así. Las crónicas de Edwards Bello son por definición perdurables. Por algo, en un mundo tan distinto al suyo, las releemos, las comentamos y las publicamos, lo que no hacemos con decenas de columnistas que coincidieron con él en diversos períodos –de Inés Echeverría a Augusto Iglesias–. Podemos acudir a ellos para documentar la retórica de otras épocas, podemos estudiarlos, pero jamás, lamentablemente, *leerlos*.

Es posible que el periodismo le haya servido a Edwards Bello para orientar el yo en relación a la literatura y a la vida en general. La necesidad de ser leído a ritmo de linotipia por un hombre con un promedio normal de inteligencia y conocimientos sin duda lo estimuló a deshacerse de un cargamento de pretensiones juveniles. De hecho, en 1921, el mismo año en que a instancias de Eliodoro Yáñez comenzó a escribir de manera permanente en *La Nación*, publicó un opúsculo de vanguardia (*Metamorfosis*) con textos suyos que habían aparecido en un par de revistas del ultraísmo español.

Fue también, como se sabe, nombrado "embajador Dadá en Santiago" por el propio Tristan Tzara y le tocó vivir en el París de Picasso y de Apollinaire. Ésta es una de las zonas de su vida sobre las que pasó el borrador. Alguien, allá lejos y hace tiempo, dijo una vez, haciendo un símil con el caso de Borges, que éste había superado la vanguardia de sus primeros años, mientras que Edwards Bello había optado por retroceder a una etapa anterior. Puede ser, sobre todo si uno ve la literatura como la cronología de un progreso.

Las novelas de Edwards Bello derivan del realismo decimonónico y alguna, como *El roto* –un clásico de nuestra psicología social–, se puede entender a través de los preceptos del naturalismo. Sus crónicas, en tanto, no son otra cosa que crónicas, es decir, la mirada de un hombre cambiante sobre los hechos de un mundo cambiante. En este flujo entra el pasado y el presente, París, Valparaíso, Santiago, la felicidad, la desazón, el humor, la crítica soberbia, todo cuanto constituye la experiencia particular de un destino.

Como todo costumbrista, a veces el Edwards Bello de las crónicas recuerda a Teofrasto o a La Bruyère, no por cuestiones de forma sino por la efectividad de su poder de observación. En su caso esta cualidad tiene rasgos visuales: un borracho pendenciero hace un molinete con los brazos antes de desplomarse, un latero de salón resopla y embiste como un toro en su afán de no soltar la palabra. Las imágenes quedan: grupos de costureras parisinas bajo el sol de una mañana alegre, campos secos de Quilpué, la cochambre de un conventillo santiaguino, el piso de tierra y un desorden de gallinas en una pieza colonial.

El encanto de esta escritura proviene precisamente de los escrúpulos de Edwards Bello ante la posibilidad de latear al lector. Hay en ella una especie de pensamiento de fondo que no se queda jamás demasiado tiempo sobre un tema específico. Podía ir de Portales a las chinganas, y desde ahí derivar hacia Cleo de Mérode y los desayunos con leche de cabra de un hotel portugués. Dicen que conversaba así, pasando de un tema a otro, en su cuartel de La Bahía, el restaurante que antes había sido la casa de su abuela materna. Odiaba, por tanto, la interrupción, como odiaba "el encuentro" en las calles del centro. Ésta fue una de sus extravagancias: caminaba con la vista fija en un punto lejano, de modo de no cruzar la mirada con un eventual conocido. Temía que lo dejaran estacado en la vereda, haciéndolo víctima de monólogos inconducentes. Él mismo cuenta que cuando algún compatriota lo reconocía en París, largaba una frase en francés y cruzaba la calle.

Los textos seleccionados en el primer volumen de *Crónicas reunidas* han estado –en su mayoría– ocultos en los archivos durante más de ochenta años. Son en cierta medida sus primeras crónicas, ya que durante la década anterior, como afirma Benadava en su libro, escribió esporádicamente, dedicándose más bien a la vida de dandy en París, reventando un par de fortunas en los casinos europeos.

El año 21 marca el punto en que el autor comenzó a escribir crónicas a diario. Hay momentos en que incluso entregaba varias al día, para *La Nación* en la mañana y para *Los Tiempos* en la tarde. Ya era, por cierto, un novelista conocido: había publicado cinco o seis libros que no habían pasado inadvertidos para los lectores. Célebre es el escándalo que se produjo en Santiago con la aparición de *El inútil* en 1910, una obra que fue leída "en clave" y que –a los 23 años– le significó a su autor la proscripción social y un exilio voluntario.

A pesar de que para entonces Edwards Bello era un hombre maduro, se ve que estaba recién ajustándose a lo que sería más tarde su escritura brillante. Podemos suponer que esos textos corresponden al descubrimiento de una vocación. "Pienso en crónica", llegó a declarar al cabo de un tiempo.

Un efecto final ofrecen esas primeras crónicas: la sospecha de que la vida nacional no ha cambiado nada en casi un siglo. El decorado es otro, por supuesto, como también las modas, el vestuario, la música. Pero el argumento del drama psicológico en que participamos pobres y ricos parece ser la versión levemente alterada de un mismo libreto.

Un Juan Tenorio de la gula
Observaciones culinarias de Joaquín Edawrds Bello

El Chile que vio y vivió Joaquín Edwards Bello se ha ido con el polvo y el humo de los incendios, terremotos y demoliciones. En sus once mil crónicas y en sus textos autobiográficos, muchas veces las anotaciones gastronómicas le sirvieron para atrapar la atmósfera de mundos extinguidos.

Su personalidad era –según cierta grafóloga que escrutó su letra temblorosa– la de un viejo voluble y romántico, y tenía "los pies de azogue", como él mismo dijo para explicar sus viajes frecuentes.

Las estampas culinarias del Edwards viajero se superponen desmañadamente. Lo vemos a comienzos de siglo en el restaurante Cantábrico, a su juicio el mejor de Sevilla; o en el londinense Lyon's Pop, disfrutando un *kidney's pie* y una cerveza floja junto a su amiga de Greek Street, quien con indulgente acento *cockney* le pedía: "When you come back, toik me to Spoin"; o bebiendo vermouth y naranjada un 14 de julio en París, a la intemperie; o con otra amiga, la suiza Ana Wicks, comiendo cada noche en distintos restaurantes ginebrinos (decidieron que el mejor de Europa era el Canonico, de esa ciudad). O bien de paso en Chile, en compañía del poeta maldito Claudio de Alas, tragando un sustituto de ajenjo en el Café Montero antes de iniciar una excursión al cementerio para comprar ciertas naranjas muy apreciadas por el malhadado vate colombiano. Y, cómo no, en el *tea-room* de Gath & Chaves, recién bañado y acabando un humoso Joutard.

El restaurador y memorialista Hernán Eyzaguirre le concedió el primer lugar entre los escritores gastrónomos chilenos, y Alone dijo que Edwards Bello "evoca sus viajes por el sabor del pan y de la leche". Escribió sobre el pequén chileno ("ese condumio de urgencia") y sobre la castiza sopa de ajos; sobre la hora de once y los pasteles de domingo: "¡Póngame dos de masa de hoja, dos de baba, dos de crema y los demás surtidos!, dice la mamá". Y, por cierto, el desayuno tampoco le fue un tema ajeno: el inglés, con café con leche, *porridge*, *boiled fish*, jamón con huevo y mermelada de naranja; el suizo, con miel de abeja; el malagueño, con leche de cabra, o el parisiense: "Desayunar en el Café de la Paix, poco después de las ocho, en la terraza, mirando pasar los *trottins*, es uno de los espectáculos más maravillosos de la ciudad luminaria".

También probó el whisky-coco en la *rua* Chile, de Rio de Janeiro (donde hubo hacia 1912 una Pastelería Chile), y en un restaurante de París le fue servido un cocimiento de cerdo en plato con calderilla (para que no se solidificara la grasa) mientras en el aire cálido de agosto retumbaba la voz del pueblo empatriotado: "¡A Berlín, a Berlín!".

Naturalmente, los primeros recuerdos gustativos del escritor están vinculados a su infancia, a medias británica y criolla en el Valparaíso victoriano de doña Juana Ross. "Mi padre me ha llevado a almorzar en el Bunuot, el restaurante francés. La mujer del señor Bunuot es prima hermana de Sarah Bernhardt", escribe en su gran novela *En el viejo Almendral.*

"Me agradan esas calles del puerto donde se leen enseñas cosmopolitas. Mi padre quiere que pruebe los erizos, pero no me atraen. La niñez rechaza cosas que después se buscarán con delirio. Esto no impide que el Bunuot sea un acontecimiento en mi vida. Es el país nuevo del estómago turista. La mantenencia casera será suplantada por el manjar sibarita, sopa de macarrones, riñones al canapé en medio de papas doradas. Bebo la primera copa de vino con agua". Días después, el niño ha ingresado al Colegio McKay, y Mrs. Foxley sirve a sus alumnos el té en una gran tetera "forrada en capuchón rojo, como Caperucita". Eran los tiempos de la guerra publicitaria entre el té Demonio y el Ratampuro. En casa de la viñamarina familia Alvares –de presuntos ancestros chinos– al té se le llamaba *cha*, al modo oriental.

Las vacaciones de Joaquín son en Quillota, y las últimas tardes veraniegas del siglo XIX tienen la embriaguez de los frutillares, chirimoyos, papayos, lúcumos, durazneros y perales de los huertos. Y de la no muy distante Quilpué –otro de sus lugares áuricos– evoca las correrías a caballo por los cerros. "Nos nutríamos entonces con el aire de boldos, de arrayanes, de peumos y de quillayes".

Quilpué, agrega, "es un pueblo de molinos de viento, de merengues y de bizcochuelos. El año 1862, para festejar el paso del presidente Pérez, los pasteleros de Quilpué hicieron un arco de triunfo de bizcochuelos, con la palabra *bienvenido* en caramelo. Debajo de ese arco pasó el tren de Su Excelencia".

Pero hay más presidentes vinculados en las crónicas de Edwards a los infatigables placeres del paladar. El primero, Barros Luco, cuya paternidad sobre el famoso sandwich ostenta un par de versiones. La primera trae a colación el modo cómo Barros Luco sobrevivió en 1891 al hundimiento del Angamos (como era hombre de campo, supo asistirse de una oportuna vaca). La segunda simplemente destaca el gusto que el presidente –en sus visitas a la Confitería Torres– manifestaba hacia el desposorio del churrasco y el queso entre dos capas de pan.

Con Arturo Alessandri, Edwards Bello hizo en 1925 un viaje a Valparaíso en el tren presidencial: "Vamos pasando al comedor, donde las mesitas lucen buena vajilla y un delicado *hors d'oeuvre* compuesto de criadillas frías en canapé de palta... Todo acto oficial se define en una panzada. Vamos masticando". Y de Federico Errázuriz saca a luz sus arranques, en compañía de dos "ministros del placer", al discretísimo Castillo de Playa Ancha: "En el acto de su entrada un soldado sonaba una campana de la torre que avisaba al retén de policía del cerro, y empezaba el pantagruélico acarreo de manjares. Por la parte de tierra, el acceso al Castillo era difícil en esa época, de manera que la mayoría de las frutas y viandas era traída en bote, junto a los vinos franceses o reservados... Tres mujeres misteriosas, con el pelo rubio Tiziano, grandes y esbeltas, llegaban también como princesas, en una lancha especial".

A comienzos de siglo vemos a Edwards Bello en Santiago y en medio de ruidosa tropa. Son seis primos-amigos, todos descendientes de Andrés Bello, que se desplazan en uno de los primeros automóviles que se asomaron al paisaje santiaguino. Van de la Confitería Torres al restaurante Papá Gage (donde un almuerzo para los seis –según Enrique Bunster–, con vino importado, puros y bajativos, costaba veinticinco pesos) y de ahí a un fundo en Melipilla, a cazar perdices y zorros. El grupo es llamativo: usan guardapolvos y un chofer con uniforme hace sonar cada tanto el claxon de pera de goma.

Papá Gage y el Torres; Bunuot y Camino. Ésos eran los lugares de peregrinación de los paladares selectivos de entonces. De Camino dice Joaquín Edwards: "Era el palacio de hadas del pastel, de la aloja y de los helados. Descontando la Pastelería Gasseaud, no he conocido una pastelería mejor que la de Camino en Chile. Tenía espejos y mesas de mármol. Los emparedados, o sandwiches, estaban hechos con unos panecillos con jamón y una mantequilla que no he vuelto a probar. Se deshacían en la boca... Famosos eran los dulces de las clarisas y de la Antonia Tapia, la auténtica, remojados en aloja; pero nada se compara con Camino, en el mediodía o en la noche, después de la ronda y el pololeo en la plaza".

Papá Gage, por su parte –donde fueron habituales desde Blest Gana hasta Orrego Luco–, fue fundado a fines del siglo XIX por François Gage, tan francés como su nombre. Aparte de una rana muy popular que vivía en la fuente del patio, fue la capacidad de innovación de Gage lo que lo hizo célebre entre los santiaguinos. Según Hernán Eyzaguirre, Papá Gage "nos enseñó a comer el *foie gras*. Aprovechó las bondades de nuestros mariscos y pescados, ofreciendo la langosta a la indiana, los erizos en cajones de pan frito, el pastel de jaiba en su caparazón, el lenguado *à la normand* y la corvina Margruy". Otras novedades de Gage: el bistec a lo pobre y el pollo a las brasas (desconocidos en ese momento), los riñones a la brocheta y los vol-au-vents de ostras.

El apogeo de Papá Gage coincidió con lo que Edwards Bello llamó "el tiempo gordinflón", que se fue con el advenimiento de la Gran Guerra y la caída del peso. En Santiago hubo obesos notorios y elegantes, perfumados con Ideal Houbigant y Coeur de Jasmin y cacharpeados por Muzard, la Casa Francesa, la Casa Pra o Weir Scott. "Los banquetes se celebraban sin contar las horas", recuerda Edwards, y rememora los platos de entonces desaparecidos de las cartas: *cassoulet*, *petite marmite*, las sillas de cordero, y la famosa salsa Newbery, con whisky, yema de huevo y crema.

El tiempo gordinflón desapareció en el aire como las burbujas del champagne, que en nuestro país corrió a caudales. En 1906, anota el cronista, "vino a Chile un gran gordo francés, M. Robinet, enviado por las renombradas firmas del Reims para averiguar qué hacían los chilenos con el champagne. Al poco tiempo de residir en Santiago, mandó la respuesta en un telegrama que produjo sensación en París: *se lo beben*".

En los años veinte se levantó el edificio del Hotel Crillón y Gage fue reemplazado por La Bahía en el decanato del gusto culinario local. La Bahía funcionó en la calle Monjitas, en la casa que fue de la abuela materna de Edwards Bello. El bar atraía a la cáfila de los snobs y a las bellezas de la época, las primeras mujeres con aire de liberación individual: las "cachetonas". En el comedor adjunto alcanzaron celebridad las langostas –si eran calientes, con salsa Thermidor–, el lenguado a la mantequilla negra y los erizos *à la cocotte*. Además, fue en La Bahía, del cual se recuerda al entrar un acuario con langostas, donde debutaron en Chile la hoy divulgada palta reina y el filete *mignon-champignon*.

El Hotel Crillón es capítulo aparte. En sus suntuosos interiores Edwards Bello alojó a la protagonista de *La chica del Crillón*, su más famosa novela: Teresa Iturrigorriaga, aristócrata venida a menos y en pugna con la sociedad dorada del hotel. Al margen, la cocina del Crillón llegó a su esplendor bajo la dirección del francés Jorge Kuppenhein. De su repertorio aún hay quienes evocan la langosta a la Newburg, con coñac y marsala, champiñones y arroz créole; los ostiones a la parisina, cocidos en vino blanco, bañados en bechamel y gratinados al horno; las brochetas de ostras envueltas en finísimas rebanadas de tocino; el *boeuf à la mode*, o las *tripes à la mode de Caen*, por no citar las escalopas de molleja de Berangére en pan frito con puré de champiñones y papas *noisettes*.

Quizás sea pertinente terminar esta crónica con una reflexión final de propio Edwards Bello, prueba de que la comida no fue para él un puro asunto de nutrición. "Comer es lo esencial en el pobre mundo. Nacemos para ser finalmente comidos por la Madre Tierra, la gran antropófaga... La graciosa Sofía Loren declaró: 'Todo lo que soy se lo debo a los espaguetis'. Por algo *sofía* significaba *sabiduría* en griego".

La desaparición parcial de Ricardo Puelma

Todo lo que hoy sabemos de Ricardo Puelma lo sabemos por él mismo. Fuera de las páginas de sus memorias no tenemos registros conocidos de su paso por el mundo. Con toda seguridad, sus nietos tendrán de él un recuerdo nítido, pero el círculo de sus lectores es escaso, casi inexistente. En una revista *Zig-Zag* de 1906 aparece en la fotografía de un grupo de pioneros del ciclismo, pero no se nos indica cuál de todos los personajes corresponde a su persona. Esta desaparición parcial no deja de causar curiosidad, teniendo en cuenta que la primera edición de *Arenas del Mapocho* (1941) fue bastante bien recibida por los hombres de letras ilustres del momento (Alone, Ricardo Latcham, Luis Alberto Sánchez) y, además, por Arturo Alessandri, que en carta al autor le señala: "Usted reúne la primera condición para ser escritor: atraer y conmover". Estas informaciones, de cualquier modo, aparecen en las solapas de la segunda edición del libro de Puelma, publicada por Nascimento.

Medio siglo es tiempo suficiente para que el olvido haga su agosto sobre la existencia de un hombre. En Chile, este plazo suele ser menor: basta un par de semanas de retiro. Aquí la fama es tan fácil como el anonimato, y ninguna de ambas categorías tiene valor en sí misma. Quien se sienta torturado por las exigencias de la celebridad tiene el remedio a la mano: esconderse un momento, rechazar las invitaciones, no atender los llamados. Los demás harán el resto. No estoy con esto acusando ninguna injusticia, como no sea la de la indiferencia por un hermoso libro, donde la memoria está entretejida con el tramado de la ciudad. Éste es un valor estructural de *Arenas del Mapocho,* y que –hasta donde sabemos– no se halla en ninguna de las obras con las que se nos ocurre compararlo, es decir, con las que incurren en el ejercicio de las memorias personales.

Pérez Rosales nos deja la imagen final de una sensibilidad proclive a la aventura; Balmaceda Valdés nos informa sobre las fiestas de buen tono y los misterios del moblaje; Ramón Subercaseaux pasa un poco aceleradamente por las cosas y por las personas, a fuerza de un estilo invariable y casi administrativo; doña Martina Barros privilegia el perfil amable y el chascarro; Pedro Subercaseaux, al ilustrarnos sobre su vida y la de los suyos, nos interesa pero no nos sorprende; Ossandón Guzmán es inteligente siempre, pero demasiado deportivo.

Esos escritores de la pequeña historia nos han legado obras encomiables. Sin ellos no tendríamos hoy profundidad para vislumbrar un mundo extinguido en sus dimensiones visibles, pero sus relatos corresponden a la experiencia común, lentamente diferida, de un núcleo social con las fronteras muy marcadas. Esto, si bien intensifica su visión respecto a una porción del mundo urbano, la difumina en relación a otras zonas más sombrías de una capital que a fines del siglo XIX excedía –física y espiritualmente– los límites de la "ciudad ilustrada". (Hay que hacer la excepción de las memorias de Miguel Serrano, donde la linterna esotérica de la mirada retrospectiva ilumina algunos sectores de la afantasmada ciudad autobiográfica. Entre los lugares áuricos de esta obra aparecen las calles de todos nuestros días y noches: Matta, Lira, Apoquindo y las que circundan al cerro Santa Lucía).

Puelma se nos antoja distinto. La diferencia podría radicar en una cuestión de estilos, pero también tiene una causa existencial. De todos estos memorialistas, es el único que está realmente solo, o el que se muestra más sensible a una soledad que se le adhiere como una sombra. No pertenece a una clase social, sino a una zona fronteriza, oscura y deleznable. Es vástago de uno de los numerosos intersticios de una clase media chilena incipiente; en su caso, una clase media "con relaciones". La vida (y por lo tanto la ciudad) no se le ha dado a él como un prospecto habitable de por sí, con sus códigos claros y sus itinerarios despejados. Por el contrario, su tarea en el mundo es la de encontrar un lugar y a la vez procurarse la subsistencia.

Si fuera un pícaro, éste sería un asunto de fácil solución. Bastaría aplicar un repertorio de pequeños delitos contra un fondo de resentimiento. Pero se trata, inconvenientemente, de una persona decente, no de un pájaro de cuentas. Tiende en todo momento a ser un caballero, pero el entorno social no es el espejo adecuado para una pose semejante. En esto tiene algún parentesco lejano con el De Quincey que vagaba –pobre y erudito de solemnidad– por las barriadas nocturnas de Londres.

"Todo escrito testimonial", piensa Martín Cerda, "es, en verdad, una respuesta, acto o gesto solitario destinado a preservar, de un modo u otro, la *individualidad* o, como hubiese escrito Kafka, la singularidad de un hombre en un mundo que lo recusa, tacha o invalida. Todo texto testimonial está, pues, anclado en una situación de incertidumbre, de indefensión o de peligro".

No es raro que quien experimenta una forma prolongada de soledad –personal o social– encuentre solaz en las alternativas de su paisaje inmediato. Esto se nos evidencia en la lectura de las páginas de Ricardo Puelma: las plazas, las calles o los rincones campestres de Santiago aparecen en ellas personalizados, "dotados de alma". El escritor los conoce bien, y los va identificando progresivamente con su propia historia. Un viaje de Tobalaba al centro, a medias en tranvía y a medias a pie, es el pretexto inicial para la consecución de sus recuerdos. Puelma no pretende comprobar, ante los ojos del lector, nada que no necesite comprobar ante sus propios ojos: en definitiva, todas las zonas de la experiencia que, superpuestas, van revelando el rastro de la vida de un individuo.

Arenas del Mapocho está cruzado por aciertos literarios, momentos en que se nos ilumina el paisaje o se nos participa de un poco de emoción estoica. Algunos de sus personajes bordean la caricatura y la crueldad, y ciertos episodios –como el del duelo con el noble español– resultan creíbles de puro inverosímiles. El mismo título del libro es de por sí un hallazgo. Nada nos cuesta reconocer en él algo inestimablemente propio, aunque nuestro destino difiera del destino del autor. No pocas veces hemos tenido la impresión de estar hechos de ese material a la vez pétreo y fugaz. Nuestra medida no es otra que la del tiempo mapochino.

Violeta Quevedo: sofocos y carrerones

Entre 1935 y 1955, Violeta Quevedo, o Rita Salas Subercaseaux –ése era su nombre civil–, publicó con relativa frecuencia unos folletos en que daba cuenta de los ajetreados movimientos de su existencia. Dueña de una situación económica inestable y preocupada principalmente de asuntos píos, se la veía pasar por Santiago encasquetada en un abrigo amplio, provocando a su paso la agitación propia de quien no se reconoce de buenas a primeras en el mundo objetivo de los otros.

Procedía, en sus textos y en la vida diaria, con extrema inocencia, y no parecía tener mayor conciencia de los efectos que su persona ocasionaba. Si los niños se asustaban cuando ella hacía aparición, simplemente registraba el hecho, pero no trataba de averiguar por qué. Si salía a la calle con algún apuro, intentaba hacer parar a los autos particulares como si fueran taxis, según atestigua Eduardo Anguita. No se guiaba por las prevenciones comunes de la gente; suponía, probablemente con razón, que era la Providencia la que la libraba de sus repetidos embrollos.

A fines de los años treinta, Violeta Quevedo anduvo de viaje por Buenos Aires, Europa y Nueva York. Acompañada de su hermana, alojándose preferentemente en conventos, trasladó a esos lugares sus sofocos y sus carrerones entre iglesias, calles desonocidas y embarcaderos. En Roma pudo ver "el retrato auténtico de la Santísima Virgen, pintado por San Lucas" ("noté que se distinguían muy bien las facciones, y le encontré el óvalo de la cara muy parecido al de una pariente mía de Chile"); en Pisa conoció la famosa torre ("es gótica por dentro e inclinada por fuera"); en París fue inducida por un inglés a "escalar" la Torre Eiffel ("la gente desde esas alturas se veía como verdaderas hormigas y moscas"), y en Londres se metió a una iglesia protestante creyendo que era católica: "Pasé por ella como caballo de invierno, sin hacer ni una genuflexión, y acercándome a un pastor de esos de servicio, le pregunté por una iglesia. Este mismo, con conciencia, me señaló la puerta diciéndome: 'That is not for you'. Protestantes son, pero buenos".

Particularmente curiosas son sus observaciones de Nueva York. Ahí vio, al parecer por primera vez, los semáforos. Un pariente le informó que "esas luces verdes en las calles, en los faroles o globos que se divisan, son señal para seguir sus caminos y esto sirve de faro al que guía los autos, y las luces lacres para detenerlos, sirviendo estas señales para evitar trágicas desgracias". Visitó, por cierto, los grandes almacenes, donde, a pesar de que la marcó la profusión de escaleras, se hizo de un método para comprar a su conveniencia: "El punto de partida para entrar a las tiendas era cuando divisaba una fila de mujeres negras, que son lo más elegantes y listas en encontrar los saldos bonitos y baratísimos". En su concepto, además, los negros eran personas riquísimas, con vidas de lujo.

En el convento donde dormía tuvo problemas con una de las monjas, que hizo ademán de retarla cuando se presentó tarde al comedor: "Creí que lo mejor para sus palabrerías y sermones era cerrarme los oídos a su vista con mis manos; fue tal el furor de la pobre monjita, que llegó hasta tomarme del brazo... Me vencí para no tocarla también, porque se habría armado la rosca..., pero el taparse las orejas fue un éxito colosal. Ya nunca más la Sister me molestó".

En ese lugar, por último, tuvo ocasión de darles a los pobres, "tan decentes como caballeros", sus raciones de comida. Mucho le gustó no encontrar mendigos en las calles, y sí unos letreros en que se encargaba al público remitir a los limosneros al asilo: "Cómo debieran imitar eso en nuestra patria, y no llenar las calles con estos pobres desgraciados expuestos a todo y sin ninguna organización".

El aura de Jorge Délano

Aún es posible encontrar, en los estantes de algunas casas santiaguinas, ciertos libros que en una época parecieron casi obligatorios y que hoy persisten como una capa geológica cubierta por el polvillo lumínico de las bibliotecas. Son libros mayoritariamente editados por Ercilla y Zig-Zag en los años cincuenta y sesenta, cuyo espectro va desde *La luna era mi tierra* de Enrique Araya y *Memorias de un buey* de Pierre Faval hasta a *Trasnochadas* de Rafael Frontaura y *Confesiones imperdonables* de Daniel de la Vega, pasando por los volúmenes de crónicas de Enrique Bunster, de Alberto Spikin-Howard o del doctor Juan Garafulic.

Desiguales en sus temas, en su género, en su estilo y en su valor literario, obras como éstas tienen algo en común: la amenidad. *Yo soy tú*, autobiografía de Jorge Délano Frederick (Coke) publicada inicialmente en 1954, ocupa un lugar irrenunciable en este canon fabricado a la rápida. De hecho, el de Délano es un libro demasiado ameno. Su escritura está al servicio de las anécdotas y las anécdotas estructuran la exposición de los recuerdos. Pareciera que lo memorable, para el autor, hubiera sido una categoría vinculada a los acontecimientos fuera de lo común y a los chascarros que le suceden a un individuo, en los que por lo demás su existencia fue pródiga. Una vida aburrida, contada en el estilo de Coke, probablemente hubiera producido una obra aburrida. En *Yo soy tú*, el escritor es un caricaturista ejemplar, y el protagonista un aventurero. Lo extraño –muchas cosas son extrañas en torno al personaje de Coke– es que este exceso no cansa. Como en algún momento observó Alone, éste es un libro al que uno estima dedicarle una semana y termina leyéndolo en una tarde. Y –habría que agregar– continúa releyéndolo o al menos hojeándolo a través de los años.

Además de caricaturista político y escritor fantasioso –como lo calificó Augusto Iglesias–, Délano fue, como se sabe, cineasta. Sus películas se las llevó el viento y hoy más que nada sobreviven en las páginas de sus memorias. Su pariente Enrique Lihn dijo que Coke hacía un Hollywood de pacotilla, pero que tenía como un aura. La frase es importante, en cuanto se podría afirmar también que *Yo soy tú* es un objeto irradiado de aura y, por tanto, de vida.

A propósito de esto, alguien incluyó recientemente a *Yo soy tú* en una nómina de libros maravillosos. Sin duda lo es, en la medida en que son maravillosos los espejos, los álbumes y las cajas de sorpresas. Los estrambóticos recuerdos de Coke –acompañados por viñetas, dibujos, fotografías y otros documentos visuales– crean finalmente un mundo despaturrado en el que conviven imágenes e ideas sacadas de todas partes. Es el cambalache de la primera mitad del siglo XX: Stalin con la parapsicología, Arturo Alessandri con la metafísica recreativa, los fantasmas del viejo Hollywood y el doblemente fantasmal cine chileno de los primeros tiempos con las ánimas en pena de los campos y con un Santiago de tranvías y de chonchoneros. En cierto sentido, en la representación cinematográfica del mundo que la mente de Délano ilumina, las caricaturas, los personajes ficticios y los seres humanos comparten el mismo sustrato de realidad.

Es presumible que en circunstancias favorables Coke hubiera querido inventar y dirigir la película *¿Quién engañó a Roger Rabbit?* o, en su defecto, *La rosa púrpura de El Cairo*. La mayoría de sus aficiones tuvieron que ver con la luz y la sombra, con las imágenes de lo real y con los conductos que unen a los vivos y a los muertos.

Los ojos, las cejas y la nariz de Délano armaban un conjunto magnético, mefistofélico (en Estados Unidos lo confundieron con Trotsky). Quizás por eso desde niño se destacó como hipnotizador. Hay varios testimonios que coinciden en que en el colegio hipnotizó a todo su curso y a algunos inspectores (otra vez se hipnotizó a sí mismo en el baño de su casa y hubo que derribar la puerta para sacarlo).

Había probablemente un grano de locura o de hilarante descriterio circulando en la mente de Jorge Délano. No de otra manera se explica que en una ocasión –visitando un zoológico en Estados Unidos– saltara al foso de los cocodrilos para comprobar la teoría de que a estos reptiles se los dominaba agarrándolos por la cola; o que en otra oportunidad, volando en un biplano en calidad de pasajero, sin cinturón de seguridad ni seguridad de ningún tipo, se sujetara a dos manos del manubrio de emergencia, originando un desbarajuste en la estabilidad del avión y el consiguiente pánico del piloto.

En la portada original de *Yo soy tú* aparecía un dibujo del autor que enfatizaba la disociación anunciada por el título; era un dibujo como extraído de la imaginación de Escher: dos siluetas idénticas de Coke, entrelazadas en el acto de dibujarse mutuamente. Si uno, al cerrar el libro tras la lectura, hiciera el experimento de figurarse un bosquejo automático de la personalidad del autor, concluiría en que Coke fue un individuo inquieto, más emprendedor que reflexivo; una curiosa mezcla de artista convencional y de pionero de las formas, a la vez que un enamorado de las ilusiones de la representación (de ahí su desdén por las vanguardias artísticas de su época). Lo podemos imaginar, junto a la moviola –tal como de niño se asomaba a los espejos y a las cámaras oscuras–, intentando averiguar, con el simple apoyo de una proyección fílmica, si el tiempo de nuestras vidas es líquido, transparente o susceptible de ser ralentizado hasta la detención o proyectado en un sentido inverso al de la dirección de nuestros pasos.

Los pasos perdidos de Mario Rivas

Me asombra el interés que pueda concitar en estos días la figura de Mario Rivas. Sus libros, casi supuestos, dormitan en algún punto impreciso de la inexistencia. Sus crónicas sociales, motivo por el cual se lo recuerda preferentemente (junto, por cierto, a sus anécdotas) hay que ir a revisarlas a uno de los subterráneos de la Biblioteca Nacional, donde *Las Noticias Gráficas* y *Última Hora*, los diarios amarillos en los que escribió, son entregados al usuario en formato de microfilm.

Esas crónicas, publicadas día a día en una página titulada "High life" durante un par de décadas (cuarenta y cincuenta), son en primera instancia, leídas hoy, una bulliciosa y masiva reunión de fantasmas. No creo que nadie haya hecho el trabajo de contabilizar y clasificar los nombres propios mencionados por Rivas a través de los años –aunque haya gente que se dedique a estas cosas–, pero podemos entender que son decenas de miles. "Nunca creí que fueran tantos...", escribe Eliot parafraseando a Dante y refiriéndose a los que se llevaba la muerte. En este caso no sucede otra cosa: es esa insinuación suspirante del verso de Eliot lo que a uno le resuena en la mente cuando se retira del subterráneo de los diarios, recupera su carnet de identidad, y traspasando unas cuantas puertas solemnes sale a la calle y se reintegra al flujo anónimo de sus semejantes y a la circunstancia de una tarde nublada.

Si hay algo que está pendiente en la literatura chilena es la publicación de las crónicas de Rivas en forma de libro. Digo "en la literatura" y no "en el periodismo" en tanto éste es un caso donde una categoría es intercambiable con la otra. En términos formales, Rivas ejercitó el tipo de periodismo que vemos habitualmente en las páginas de vida social de cualquier revista. Sin embargo, lo hizo en periódicos dirigidos a un público totalmente ajeno al gran mundo local de cuyas alternativas informó. Es improbable que alguno de los lectores de *Las Noticias Gráficas* tuviera idea de quien haya sido "la estupenda Mariana Larraín", a no ser que hubiese formado parte de su personal de servicio. Si uno revisa las restantes secciones del diario se encontrará con registros gráficos muy crudos de crímenes ocurridos en conventillos, cogoteos y hechos delictuales en general.

Ésta vendría a ser la primera gran broma de Mario Rivas, si bien es verosímil suponer que su enrolamiento en la redacción de *Las Noticias Gráficas* se debió a razones de pura subsistencia y no a una deliberación literaria. La otra corresponde a su escritura corrosiva, a su tendencia a dejar en ridículo a muchas de las personas de las que hablaba, a revelarlas en su estupidez, en su mal gusto o en su arribismo. El efecto era, por cierto, humorístico. Humorístico para los lectores, letal para los afectados.

Mario Rivas conocía, sin duda, todos los códigos de la alta sociedad santiaguina de su época. Era, además, parte de ese mundo que se empeñó en escarnecer en incontables oportunidades, pero que salvó moralmente en tantas otras. Sabía lo que hay que saber: qué trajes eran los adecuados para ocasiones específicas, quiénes eran las bellezas del momento, a qué lugares asistían, qué definía a un roto, a un siútico o a un caballero. Conocía igualmente los chismes, las infidelidades de tocador, las pillerías monetarias que podían ensuciar un buen nombre.

No obstante, su posición pública era marginal a todo esto. Su biografía –si un día nos decidiéramos a componerla– mostraría una grieta, un dolor prolongado, un desacomodo feroz. Rafael Gumucio, sobrino-nieto suyo, atribuye este desajuste existencial al hecho de que Mario y Manuel –su hermano mellizo– se criaron en el extranjero: Francia, Inglaterra, Turquía, lo que les dio una perspectiva un tanto distante de los acontecimientos del país y, por lo mismo, una mirada distinta a la del resto de sus conciudadnos. El padre de ambos, el eminente Manuel Rivas Vicuña, político liberal famoso por su capacidad conciliadora –Ricardo Donoso le adjudica un estilo "florentino"–, fue varias veces parlamentario y ministro, además de creador de la Liga de las Naciones. Sin duda hubiera querido que sus hijos siguieran sus pasos, pero éstos no manifestaron interés en la política. En algún momento los sacó de la universidad y los puso a trabajar. Rivas Vicuña murió tempranamente, en 1937, y de una forma u otra la pobreza empezó a acechar a su familia.

Hay en los textos y en la actitud existencial de Mario Rivas una amargura, por así decirlo, muy chilena. Una especie de resentimiento de sello inverso que apela de una manera muy efectiva al humor para canalizar su acidez. Sus ojos, en ciertos momentos, son los de la vieja agria y señera que es capaz de destruir con la sola imposición de la mirada. Su desprecio nos recuerda a la abuela de Stepton –uno de los personajes de *En el viejo Almendral*, de Joaquín Edwards Bello– cuando el niño lleva a su casa a unos compañeros de curso: "¡Quiénes son estos siúticos!", grazna la anciana, congelando a los niños con una recusación para ellos desconocida.

"No era un resentido", me aclaró en París su hijo Mario Rivas Espejo en una conversación que tuvimos en su departamento, situada en una calle de la que he olvidado el nombre pero cuya sonoridad adornaría mucho este párrafo. "Lo pasaba bien, se reía con estas cosas. A los que odiaba era a los siúticos, al paco Ibáñez y a O'Higgins, ese roto colorín. Fíjate que una vez O'Higgins se reunió con el general Osorio y le tiró un escupo en el ojo. Osorio se retiró... Si esa rotería no podía ser".

Esa noche con Rivas Espejo (octubre de 1998) dedicamos un porcentaje significativo de la conversación al recuerdo de su padre, con una evidente y comprensible admiración de su parte. Por algún motivo yo había llegado ahí buscando indicios sobre el desaparecido periodista y prospecto de escritor. Su personalidad me intrigaba particularmente y había disfrutado mucho sus crónicas. Habiendo leído muchas veces páginas chilenas dictadas por el resentimiento, jamás me había encontrado con crónicas como las suyas, en las que el francotirador dispara desde la propia torre de marfil hacia sus proximidades inmediatas.

Muchas veces la invectiva delata la imagen que de sí mismo se ha formado quien la emite. Si escuchamos o leemos la frase "una tropa de señoritos empingorotados, hijitos de su papá", podemos entender que tras ella se agazapa una persona que no disfruta de los privilegios atingentes a los señoritos en cuestión, y que los considera por lo demás ilegítimos o inalcanzables. Si la frase es, por el contrario, "el roto levantisco e insurrecto, hijo de la cantina y amancebado de la flojera y el vicio", nos figuramos instantáneamente que la enuncia un señor amargo, al que un tipo –considerado por él inferior– acaba de largarle una insolencia o de negarse a acatar sus instrucciones perentorias.

Mario Rivas era más complejo en el arte del insulto. Por una parte, según su hijo, manifestaba total respeto por la gente del pueblo. Utilizaba, no obstante, el recurso agresivo de enrostrar a su enemigo de turno una cuna humilde, como en el caso de cierto director teatral de quien omitió el nombre pero escribió que "le ha dado por creerse aristócrata y habla de clase, a pesar de que pertenece a la calle Bascuñán Guerrero desde la raíz del alma y hasta las uñas, no siempre sin luto". Insiste Rivas Espejo: "Roteaba al siútico, no al roto mismo".

Una de sus víctimas recurrentes en los años cuarenta fue un señor de apellido Gellona, apodado Tato. Frecuentemente, al referir alguna fiesta elegante, especificaba que en ella había pura gente decente y que "además estaba el Tato Gellona". Su amigo Jorge Palacios –quien ha dejado un testimonio suyo en el libro *Retrato hablado*– cometió alguna vez el error de presentarse en su casa y confesarle que tenía hambre. Desde ese momento, Rivas comenzó a incluirlo en sus reportes de asistentes a comidas refiriéndose a él como "el hambriento de Palacios".

Lo último sería una especie de chanza amistosa desplegada en el plano de la confianza, pero es presumible que sus sarcasmos tuvieran como motivo la venganza privada, de bisturí, destinada a purgar algún leve desaire o a dar espacio a la simple antipatía. No es posible imaginar otra explicación cuando dice, por ejemplo, que en la botica Klein, "donde compra la gente decente, se vio esta mañana a la señorita Clara Zañartu adquiriendo unos tremendos supositorios". O en el caso de una de sus notas de 1948: "Fantástico estuvo la noche de año nuevo en el Club de la Unión, donde los siúticos hacían nata. Los snobs todos al Club de Golf y al de Polo, donde comía Periquito del Valle, el Garciíta Lorquita chileno, que andaba con una chaqueta de garzón de última categoría que le quedaba muy bien". O: "El Coto Soriano, en un acto de provocación inaudita a la población de Santiago, se fue ayer a una tienda muy bonita llamada Fletcher's, que queda en la calle Huérfanos, y se compró la corbata más fea que he visto en mi vida. No se sabía si la tiñeron con tintura o con vómito de borracho".

Ése era el atractivo del malhadado Mario Rivas: prescindir de lo políticamente correcto, arrogarse la libertad de proclamar lo que se le antojara o lo que pasara por su cabeza.

Germán Marín, quien lo frecuentó en sus correrías céntricas, considera que "este tipo de pituco abundaba antes, hacían nata. No lo podría explicar psicológicamente, pero cuando conocí a su sobrino Fernando Rivas reconocí ese desparpajo de pije. Tenía el mismo aire: una cosa desenfadada, pitucona, como que el mundo estaba para servirlo".

Algo parecido opina Enrique Lafourcade: "Mario se jactaba de poder insultar a medio mundo y reírse y delatar concubinatos. La mitad de Santiago lo quería matar. Fernando Rivas lo imitaba". Y Rivas Espejo: "Fernando Rivas era tontito y provocador. Trataba de copiar a mi padre pero le faltaba la simpatía".

Fernando Rivas Sánchez, agregamos, fue periodista y novelista. Se le recuerda más que nada por sus apariciones en *A esta hora se improvisa* y en otros programas televisivos, donde desplegaba un estilo muy agresivo con sus entrevistados. Murió en Cuba, en el exilio.

Como fuera, Mario Rivas y su sobrino Fernando correspondían al mismo tipo social: el individuo de izquierda que no renuncia a utilizar los descalificativos propios de la clase alta, a la que pertenece. Se diría que una parte de su ser se manifiesta ansiosa de cambios en la estructura de la sociedad y sus privilegios, pero que su fuerza vital la saca de su sentido de pertenencia a la casta dominante.

Los textos de Mario Rivas no eran propiamente políticos. Jamás, incluso, se salió en ellos del campo de referencia propio de una página de vida social. Desconocemos, sin embargo, el contenido de su programa *Quince minutos con Mario Rivas*, transmitido a comienzos de los años setenta en Canal 13, que llegó a su fin el día en que Rivas dijo ante las cámaras que "este cura pollerudo todavía no me paga el sueldo", refiriéndose a Raúl Hasbún, quien por ese entonces tenía en el canal un cargo directivo.

Las relaciones de Rivas con personas conocidas de la izquierda fueron, en cualquier caso, problemáticas. A Benjamín Subercaseaux, es sabido, le puso "Benjamona Subercasiútica". En su libro *Fantasmas literarios*, Hernán Valdés lo recuerda en las dependencias de *Las Noticias Gráficas* hablando así de Subercaseaux: "Ayer, mientras mi chofer me paseaba en coche por el Parque Cousiño, para escapar del aire de sobacos y vaginas de esta ciudad, me encontré a la Benjamona Subercasiútica sobando a un pobre milico detrás de unos eucaliptus, que, como ustedes bien saben, es un árbol procedente de ese continente bárbaro que es Australia". Algo igualmente procaz escribió alguna vez sobre la sexualidad del presidente Jorge Alessandri y sobre los motivos reales

–según él– por los que un busto de La Moneda se había venido al suelo. Alessandri lo metió preso.

Con Neruda la cosa fue de sello distinto, si bien los testimonios difieren. Rafael Gumucio estima que Neruda buscaba a Rivas para satisfacer su propio arribismo, y Germán Marín estima que era Rivas quien buscaba a Neruda y que siempre fue "muy chupamedias" del poeta. "Neruda le tenía espanto", sigue Marín, "lo encontraba fresco, lo rehuía. En una ocasión, cuando Neruda y yo hacíamos las Ediciones Isla Negra, Rivas quiso entrevistarlo en la radio, pero Neruda me pidió a mí que fuera en su reemplazo".

¿Cómo era físicamente Mario Rivas? Marín lo describe chico, movedizo, elegantemente vestido, con algún parecido facial a Vicente Huidobro y premunido –sin necesidad– de un bastón. Es posible que se trate de su mítico bastón-estoque, cuya existencia pude testificar en casa de uno de sus descendientes. Lo usaba –dicen– para defenderse, ya que la odiosidad sembrada por él en la ciudad le había acarreado una suma ingente de enemigos. También tuvo un leal guardaespaldas, cuyo sobrenombre le dio el título a su única novela, perdida hasta hoy: *El Care Cueca*.

La página de Rivas en *Las Noticias Gráficas* posee otras cuantas peculiaridades. Una de ellas es una guía de restaurantes que equivalía, según sus detractores, a una triquiñuela para comer gratis. De hecho, en el caso de que el dueño del negocio no aceptara la transacción –comida por mención–, Rivas de todas formas escribía sobre el local, con el añadido de que le había salido una mosca en el plato.

Es claro que negociaba con su leída columna, logrando quizás un estímulo económico adicional a las escasas ganancias que podía obtener del periodismo. Pero lo hacía ostentosamente, sin arrugarse, como cuando escribió lo siguiente: "A Paine partió Camilo Prieto Concha con su familia. Camilo es el más sabio de todos los Prieto Concha, no sólo porque jamás se mete en política para nada y se conforma con ser dirigente deportivo, sino porque además se compra todos sus artículos para caballero, tanto para su uso personal como para hacer sus regalos, en la Casa Cohé, de Pasaje Matte 56".

Un extraño recuadro, además, ubicado notoriamente en la parte inferior de la caja, avisaba: "Esta página es de exclusiva responsabilidad del señor Mario Rivas González, Teatinos 82, tercer piso, teléfono 69541".

¿Se trataba de una argucia del periódico para derivar a los lectores indignados hacia el responsable de las eventuales injurias?

También incluía ciertos "Consejos de la Duchesse du Maine", para el uso de las señoritas. Eran textos de una línea, donde Rivas ejercitaba su humor con mayor propiedad. Son estas frases, de hecho, las que más recuerda la gente que lo conoció, y aún circulan de boca en boca. Cosas como "una señorita distinguida no llega jamás con una botella de chicha a la oficina", "una señorita distinguida no acepta que la inviten a comer brevas al cerro Santa Lucía", "una señorita distinguida no regala jamás una máquina de afeitar eléctrica a su amiga del alma", "una señorita distinguida no se cura con rompón", "una señorita distinguida no se come los tallarines con pica", "una señorita distinguida no llega a la casa de gente que no conoce para ponerse a hablar por teléfono con los tontos que la pololean".

Había en estos epigramas truncados, sin duda, recados particulares para personas del círculo privado de Rivas. Pero si nos hacen reír todavía es por su parodia de los manuales llamados "consejeros sociales", ese tipo de libros que hasta no mucho tiempo uno podía comprar en las librerías de viejo y que ostentaban capítulos del tipo "Cómo conducirse en las confiterías".

Las señoritas, como lo constata una crónica de Edwards Bello, no entendían cabalmente el humor de Rivas y solían enojarse. Edwards Bello las imaginaba mandando a comprar medio en secreto el diario poco prestigioso en el que Rivas escribía, para experimentar el placer de la denostación ajena.

Especialmente iluminadoras de su forma de pensar son las reflexiones que Mario Rivas incorporaba bajo el título "¿Adónde va Vicente? Adonde va la gente". "El lenguaje de los aristócratas", escribe en una de las innumerables ediciones, "se asemeja más al del pueblo que al de los siúticos. Los siúticos son atildados y medidos. En su boca nunca hay una palabrota y tienden a pronunciar las palabras con todas sus letras y en algunos casos les agregan algunas. En cambio, tanto el pueblo como la aristocracia sintetizan, por así decirlo, las pronunciaciones y dicen garabatos todo el día".

La gente decente, según sus observaciones, dice "caramelo", no "pastilla", como el siútico; el hombre de mundo, al igual que el roto, habla de "mi mujer", jamás de "mi señora". El archisiútico dice "mi esposa". La misma evaluación corre para expresiones como "matrimonio" versus "boda", o "¿qué quieres comer" versus "¿qué se sirve usted?".

El tema del siútico lo obsesionó tanto como al propio Edwards Bello, si bien este último le hallaba cierto encanto al lenguaje rebuscado de los países tropicales, tan escaso en Chile. Se nota a la legua que el así llamado "siútico", es decir, el tipo de clase media que intenta imitar las gestualidades de la clase alta, lo irritaba profundamente. En alguna ocasión anota que el siútico se demora una enormidad en tutear a la gente. En otra interpela al lector: "¿Ha conocido a alguien llamado Graciela, César o Waldo y que no sea siútico?".

Escrúpulos de esta clase parecieran desterrados por el tiempo de nuestro mundo aparente, pero se siguen reproduciendo en la educación puertas adentro de las familias. Un cierto pudor ha sumergido en la pura intimidad lo que Mario Rivas se permitía decir a los cuatro vientos. Nadie quiere hoy ser tildado de clasista, pero el tema social sigue siendo entre nosotros una prioridad clandestina, e igualmente encuentra en el humor "una válvula de escape".

¿Fue una buena persona Mario Rivas? Según su hijo, evidentemente. Mario Rivas Espejo habla de su padre –como dije antes– con admiración. Destaca su relación con el dinero, en la que se manifestaba como un botarate a toda prueba. Jamás ahorró un peso y era generoso con los demás cuando se entretenía. Sólo una vez en la vida le pegó una cachetada, cuando él le tiró la máquina de escribir al suelo. Conocía a Hegel, a Spinoza, a Kant, "pero era demasiado inteligente como para haber creado un sistema filosófico". Hacía teatro regional, de provincia, porque despreciaba el santiaguino. Una de sus obras de teatro se llamaba *El sargento mayor* y analizaba la relación de los pacos con las empleadas domésticas. Entendía la historia como conciencia, no como ciencia.

Un pariente cercano, en cambio, opina que este tipo de niños terribles siempre quedan muy bien en la anécdota, pero que sufrirlos de cerca es una cuestión muy distinta. Hernán Valdés lo consideraba un insolente de pacotilla. Lafourcade evitaba su trato porque lo encontraba peligroso y porque Rivas lo apabullaba con autobombos heráldicos. Su ferocidad, según el novelista, correspondía a "una característica que desarrollaban algunas minorías que pertenecían a la más alta sociedad chilena, tipos que eran postergados y que recibían de repente dinero u honores. Estos personajes, por lo general afrancesados, se transforman en emblemáticos pasado el tiempo". Todos coinciden en celebrar, no obstante, su ingenio "alacranado".

Me da la impresión, revisando este texto para ponerle un punto final, que el interés por los escritos de Mario Rivas proviene del carácter universal de la sátira. Así como Marcial se vengó en sus epigramas de todos quienes lo pasaron por alto o lo humillaron, y Quevedo ejerció en sus sonetos y letrillas la demolición humorística de la fauna madrileña de su tiempo (viejas, lisiados, teñidos, etcétera), Rivas satirizó a nuestra sociedad echando mano para ello a la más ridícula de las retóricas: la de las páginas sociales de los diarios.

Páginas movedizas
"Diario íntimo", de Luis Oyarzún

Vivía en un quinto piso céntrico santiaguino, en la calle Agustinas. Desde ahí hacía a pie todos los días el camino hasta su oficina de decano de la Facultad de Bellas Artes de la Universidad de Chile, en la Alameda. Aventajado *flâneur*, recorrió Chile entero a punta de caminatas y del mismo modo ciudades y campos de otros países, registrando todo lo que llamaba la atención de su inteligencia despierta.

Enrique Lihn, que lo conoció de cerca, lo definió así: "Un erudito que combinaba las ansiedades de un poeta maldito con la gestualidad del catedrático y las musarañas de un goliardo".

Luis Oyarzún escribió mucho: relatos, artículos filosóficos, crítica literaria, ensayos sobre pintura, consideraciones estéticas, poemas, una novela. Además, descolló en el arte de la oratoria: se le recuerda como un gran improvisador.

Según dicen quienes lo conocieron, fue aplazando año tras año el proyecto de una obra mayor, pero en las páginas de sus diarios es donde al final ha quedado registrada su sensibilidad, que se puede comparar sin miedo a la de Montaigne o a la de Ruskin.

Su *Diario íntimo* debe entenderse como un hecho capital para la literatura chilena. Se trata de la versión íntegra de sus anotaciones entre octubre de 1949 y noviembre de 1972. Su curiosidad tiene la amplitud del mundo: puede ir de Rousseau a la política chilena, de Henry James a la receta campesina del arrope. Calles, paisajes, anécdotas, lecturas, confesiones y retratos completan el mosaico, vivo hasta la saciedad. Por lo mismo, a estas páginas les vendría bien como epígrafe la famosa frase de Augusto D'Halmar: "No me pasó nada, sólo la vida".

El comienzo de los años cincuenta lo encuentra en Gran Bretaña. Se junta en Oxford con algunos chilenos: Nicanor Parra, Salvador Reyes, Juan Gómez Millas. Hay un eco existencialista en la sensación de apremio que se le instala en el estómago. Le cuesta conciliar el sueño. Su paso por Dublín es desolador: "En el hotel en que me alojé ponían botellas calientes en la cama. Durante mi insomnio, sintiendo esa circunscrita tibieza, experimentaba aun más nítidamente esta orfandad del hombre en el universo hostil [...]. Más allá aun, las otras habitaciones semejantes a la mía con hombres y mujeres fantasmales dormidos, los salones y comedores helados, oscuros, vacíos, y más allá la negra ciudad desierta en la que el viento levanta papeles viejos, polvo y basura; el río de aguas aceitosas que lame los ennegrecidos muelles de cemento por donde merodean las ratas nocturnas en busca de gorriones dormidos; la isla fría, lluviosa, poblada por unas cuantas aldeas pesadas bajo el sueño de los borrachos".

Atraviesa a España, y no lo pasa mejor: "En Cuéllar, una vieja maldita –la madre de todas las calamidades– nos explotó desvergonzadamente. En la noche me devoraron las chinches. La vieja organizó nuestros menús para que resultaran carísimos".

Cuatro años más tarde aparece en las cercanías de Til Til, buscando por los cerros pencas y callampas para el almuerzo. Casi se extasía con un zapallo que le dieron, porque halla en su carne la sustancia del sol ("Matta podría pintar estas materias. ¿Por qué sólo gérmenes y abstracciones?").

En marzo de 1957 toma apuntes en Lima ("se escuchan pocos cantos de pájaros") y a las pocas horas sigue escribiendo en Washington sobre las plantas del Jardín Botánico y sobre la pintura de Veneziano y Fra Angelico. A fin de año se encuentra en Leningrado, ciudad que le merece una impresión melancólica: "Se ve como una Venecia fría, inclinada a todas las nostalgias". Su resquemor del régimen soviético ilumina gran parte del concepto que tenía sobre su propia persona: "Si viviera en este país, sería eso lo que echaría más de menos: la libre y ociosa vagancia de una conciencia que se mira e intenta ahondarse a sí misma, eso que aquí no figura en el registro de las actividades aceptables". Y después, en París, informado quién sabe por quién: "Acabo de saber que murió J. L. Borges".

Dos años más tarde aparece por el cementerio de Copiapó, ciudad de pimientos y polvo, según anota. "Al entrar, un hombrecillo me dice: 'Patrón, ¿quiere huevitos para el viaje?'. Tal vez creyó que yo empezaba el viaje eterno en ese instante. Curioso: en Chile, los cementerios pertenecen al Servicio Nacional de Salud".

En 1962 participa en un congreso de escritores en Concepción. Mira con ojo crítico a un Neruda que está en la cúspide de su fama y a quien conocía bien. Lo ve entrar y observa: "Avanzó el poeta, con paso de ganso solapado, y empezó su salmodia, en ese escenario abierto a las colinas boscosas, bajo el cielo puro de luz crepuscular, con su monotonía de muecín. No he conocido hasta hoy en mi vida una mayor hipertrofia del yo. Él es América, pero es también el socialismo: él es la voz de todos los pueblos oprimidos, el intérprete del futuro, el protector de Cuba, el gran padre y la gran madre de Chile, el gran juzgador y el gran perdonador, el dueño de la naturaleza, el que defiende a los pobres humanos de la amenaza imperialista, de supersticiones y misterios, el gran clarificador y, además, el gran cautivo, el vago genial que flamea y ondula entre los astros". Y sigue: el tema nerudiano le obsesiona. Ve al poeta nacional como un hombre de la catadura de Hitler, Truman o Nerón, que pueden expresar, "aun con genio, emociones y resentimientos contrarios al espíritu". Acordándose del dictador mexicano, lo llama "Porfirio Díaz de las letras de América". Considera su necesidad de rodearse de esclavos y prosélitos, de combatir a los mejores poetas y de prohijar a los inofensivos. Y luego: "Rubén Darío no se dio tantas ínfulas. Gabriela Mistral ha sido para él una afrenta permanente, que él aspira a borrar con el Premio Nobel. El lunes pasado me mostró una carta de Sun Axelson, quien le dice que el camino está abierto. Que Fulano, director del diario más importante de Estocolmo, y personaje muy influyente en la Academia Sueca, ha decidido proponerlo...".

Cambio de página. Y de época. En septiembre de 1970, Oyarzún está en Nueva York, oficiando de adicto cultural en los últimos días del gobierno de Frei. El caleidoscopio neoyorkino baila ante sus ojos y estimula –como siempre– su escritura. Ve las focas aplastadas por el calor en el Central Park, los grafitis más o menos enigmáticos ("Los que no están ocupados en nacer están ocupados en morir"), se encuentra una chaqueta de la guerra civil hecha pedazos entre unos arbustos.

"La urbanidad de Nueva York", comenta, "es ruda, sucia, más llena de basuras que Santiago. Es la selva urbana, muy distinta de la ciudad aristotélica o albertiana, que podían recorrerse a pie. Mi ojo miope se complace –como el eremita de Parra en sus pecados materiales– en las ventanas de las tiendas, en las esculturas, cuadros y potiches parafernálicos, en esta isla de Manhattan, socavada por la angustia, la violencia y la multiplicidad sin armonía. En ninguna parte he visto expresiones más atormentadas".

En esos días anota con interés los intentos de unión de las directivas de algunas minorías norteamericanas: homosexuales, negros y movimientos femeninos de liberación. Mientras tanto, bandadas de aves migratorias se estrellan en las alturas contra el Empire State y caen agónicas o muertas sobre el pavimento. De Chile llegan impostergables noticias: el triunfo de Salvador Allende en las elecciones presidenciales. Oyarzún hace una reflexión al vuelo: "Los ganadores de la batalla electoral no son propiamente los políticos, ni Allende ni los comunistas ni los hombres de partido. No han ganado Volodia ni Corvalán ni Neruda. Han triunfado los jóvenes y los 'sin casa'. No es propiamente el lumpen. Son los jóvenes revolucionarios que tienen el camino abierto a todas sus quimeras, ambiciones, ideales y disparates. Lo que pugnaba por emerger, siempre con triunfos o derrotas a medias, ha abierto hoy la brecha. Producida la mutación, viene después la evolución acelerada, que llevará al caos o a un nuevo orden, o bien primero al uno y después al otro".

Tiempo después, el Congreso ratifica el triunfo de Allende y los recuerdos de Oyarzún retroceden entonces de elección en elección hasta ir a dar a un día de 1924 –recién caído Alessandri Palma–, cuando se ve con su padre caminando por una calle polvorienta de Santa Cruz al encuentro de un tal don Celedonio, cacique electoral de tendencia conservadora: "Tiene panza de abad, grandes apetitos de prietas, longanizas y chunchules, grandes bigotes que chorrean de vino. Respira, resopla para arriba, para abajo, para adelante, para atrás. Bufa con los bigotes de morsa, suda con el sombrero de pita y le sale humo de los botines abotonados cuando se estira en la Plaza de Armas después de comida". Una cáfila de incondicionales no le pierde pisada al líder natural. Éste, atiborrado de porotadas, chicharrones y otros excesos, levanta su bastón de chonta y exclama: "¡Al fin echaron a este bachicha de mierda!". La exclamación no viene sola –cuenta Oyarzún–: levanta una pierna ajamonada en calzoncillo largo y grueso pantalón, y lanza su gran petardo, tan fuerte que casi tiene eco en la plaza.

Perduración de Luis Oyarzún

Quienes leímos con detenimiento, hace unos años, el *Diario íntimo* de Luis Oyarzún suponemos haber adquirido un grado de confianza con el individuo real. En cierto sentido, por esta vía lo conocimos tanto o más que las personas que lo frecuentaron. Incluso uno de estos lectores póstumos llegó una vez a aventurar la interpretación psicoanalítica del amor de Oyarzún por la naturaleza: "Eso es puro autoerotismo; la gente que habla demasiado de las plantas y de los árboles en realidad está hablando de su propio cuerpo".

Esto indica una perduración de Oyarzún entre nosotros como figura cultural o simbólica. Es un autor que, un cuarto de siglo después de su muerte, sigue generando especulaciones y, en general, pensamiento. A mí se me viene a la mente con alguna frecuencia: me acuerdo súbitamente de una opinión suya sobre antropología local, o trato de imaginar qué pensaría él cuando veo al pasar un edificio desmantelado, una plaza sombría o una pelea de perros en la esquina de Pedro de Valdivia y Providencia.

Es cierto que sus textos sobre la naturaleza –incluidos largos párrafos de los diarios– no logran permear de manera cabal al lector. Hay en ellos un factor privado, el del amor o de la pasión, que por su propia índole opera en forma excluyente. Cuando Oyarzún escribe sobre la erosión, los ríos y los bosques, lo hace con mucha intensidad, provocando una especie de destello que perturba nuestra mirada externa. Los que no sabemos distinguir un olmo de un arce, ¿cómo vamos a vislumbrar algo en sus detallados inventarios forestales?

Aparte del plano de las ideas, donde se movía con tanta claridad, parecían acomodarle más, al escribir, las descripciones de ciudades –de las que permanentemente huía– y las variadas alternativas de la condición humana. Es difícil de olvidar en tal sentido el retrato progresivo que hace de Neruda, un fragmento destilado con bilis que recuerda los detalles ampliados de las pinturas del Bosco, donde en un solo rostro uno cree ver toda la feble catadura de la vida.

Taken for a ride, que reúne los textos que Oyarzún publicó originalmente en forma dispersa, es una segunda entrada al mundo del autor.

Como ejercicio de escritura se distancia del *Diario*: el lector implícito es otro, más general y a ratos más fugaz. Siempre es sorprendente el giro que adoptan ciertos artículos de prensa cuando se los recupera en los libros: lo que no era sino una colección al paso de consideraciones y descripciones –partícipes del destino azaroso de diarios y revistas– se convierte propiamente en ensayo. Leemos estos textos, por tanto, persiguiendo una perspectiva de pensamiento, y el hecho de que estén unos junto a otros les confiere una profundidad adicional.

Sus contemporáneos han remarcado siempre la erudición de Luis Oyarzún. Hay un texto del libro –"Resumen de Chile"– donde ésta se manifiesta de la mejor manera: sin demasiados datos. Es en parte una relación histórica y en parte un ensayo sintético que quiere registrar, a través de los siglos, un cúmulo de acontecimientos esenciales, casi psicológicos, que vinculan nuestro pasado y nuestro presente.

Martín Cerda: noticias de ninguna parte

Es un poco extraño que Martín Cerda, un escritor de postguerra con una pesada carga existencial, no se haya aventurado jamás en un enorme libro totalizador. Quizás fue su convicción de vivir en un mundo inestable lo que lo impulsó a ejercitar su pensamiento en géneros de paso: la nota, la crónica, el comentario, textos cuya resolución es tan rápida como su lectura.

Había mucho de delicadeza en ese gesto, o de humildad o de sentido de la empatía. "Por delicadeza perdí mi vida", es la frase de Rimbaud que se le ha adjudicado en más de una ocasión, como una especie de epitafio. Una vez le pregunté a Alfonso Calderón, que lo conoció mucho, si acaso Martín Cerda, de haber sido francés, no sería hoy un escritor famoso en el mundo. "No sé", fue la respuesta, "él carecía de ambición".

Cuando uno revisa hoy los libros de Martín Cerda –póstumos casi todos– se da cuenta de su facultad de anticiparse a las lecturas de los demás. Muchos de los autores que hemos apreciado con el tiempo –o que se han puesto de moda recientemente– ya estaban reseñados, comprendidos, examinados y puestos en relación por Cerda desde mediados de los años sesenta o antes: Barthes, Benjamin, Bachelard, Drieu La Rochelle, Mario Praz, A. Alvarez, por mencionar unos pocos dentro de una extensa enciclopedia.

Esto sin duda no tenía que ver con la vanidad intelectual, sino con su sensibilidad de la urgencia. Para Cerda existía algo llamado "nuestro tiempo", una entidad difícil de precisar que se precipitaba hacia los riscos del naufragio. Él necesitaba imperiosamente establecer las coordenadas de esta situación, antes de que se tocara la alarma de zafarrancho.

Ni la amargura ni la desazón que pudieran haberlo angustiado afloraban en el trato de Martín Cerda. Parecía siempre dispuesto a ser amable, e incluso a sonreírle al prójimo. No ponía ante sí falsas distancias.

Esto ya lo he contado en otra parte, pero viene a cuento en esta oportunidad: un mediodía de 1985 me tocó estar en la Biblioteca Nacional en el momento en que estaban depositando en un pasillo los miles de carpetas del archivo de recortes de Joaquín Edwards Bello. Cerda estaba dos mesas más allá y ambos nos paramos a contemplar el lento y fastidioso trabajo. "El único que puede ordenar estos archivos es Calderón", fue lo único que me comentó. Al llegar a mi casa, un rato después, me puse a ver el programa *Almorzando en el Trece*: uno de los invitados era Alfonso Calderón y citaba precisamente a Edwards Bello: "El chileno es el hombre equivocado en el lugar equivocado".

Hubo otra sincronía un par de años después: estábamos con Enrique Lihn una noche en la cocina de su departamento hablando por casualidad de *Notices from Nowhere*, el libro de William Morris. En un momento sonó el teléfono y Lihn fue a contestar. Volvió casi enseguida, con una sonrisa de incredulidad: "Era Martín Cerda para preguntarme si tenía alguna edición de *Notices from Nowhere*".

Cuando se quemó la biblioteca de Martín Cerda en Punta Arenas, muchos pensamos que su obsesión por el Titanic y por "el desgarro del hombre contemporáneo" había encontrado un aciago correlato en la realidad. Se trató del "incendio de un sueño" –como llamó Bukowski a la destrucción de la Biblioteca de Los Angeles– y más precisamente la reducción a cenizas de una vida entera.

CRISTIÁN HUNEEUS Y LA ATRACCIÓN DEL ABISMO

Cristián Huneeus fue un escritor ejemplar: observó la consistencia y los espejismos de la personalidad, se mantuvo atento a los aspectos visibles del mundo y usó el lenguaje de una manera que podría denominarse natural. Esto último, la ausencia de voluntarismos en la selección de las palabras, sucede incluso en un libro como *El rincón de los niños*, donde hay una intención de alterar los modos convencionales del relato en favor de una escritura vuelta sobre sí misma. Se trata, en el caso de esta novela, del lenguaje de las sucesivas tribus a las que un individuo puede pertenecer parcialmente en su vida: la tribu barrial, la de la clase social, la literaria, la académica, la de la abandonada juventud e incluso la psicoanalítica.

Uno de los temas que se desprenden de su obra narrativa –en la que es posible incluir su *Autobiografía por encargo*– es el largo proceso de un individuo para llegar a ser una persona no muy distinta de la que es. Esto, que parece un enigma, se aclara bastante al revisar sus páginas y se manifiesta como un problema permanente para un escritor cuya producción es más que nada autobiográfica.

Me parece que Huneeus, por disposición existencial, nunca experimentó el yo en un formato definitivo, si bien estimó que el mundo era caótico y que finalmente era la propia conciencia la que le daba un orden. Su temprana constatación de ser un "artista burgués" es ya un modo de ajuste a circunstancias que demandaban de él una respuesta compleja. Como artista adolescente, en los años cincuenta, debió enfrentar el trance de conciliar su pertenencia familiar con la literatura. Su círculo íntimo miraba la literatura con distante respeto, pero la consideraba peligrosa o disolvente. "La relación entre los libros y la ruina fue para mí, desde un principio, matemática. La atracción de la biblioteca del abuelo fue siempre la atracción del abismo", escribe el autor. Sin embargo, esas dos realidades profundas e inevitables estaban ahí por herencia directa: la ventana de la biblioteca se abría sobre el campo. Por otro lado, los rasgos de su clase –el alma siempre se expresa– marcaron sus días de estudiante del Pedagógico con un aura de extranjería.

Cuando en 1966 volvió a Chile, luego de algunos años en Inglaterra, Huneeus suponía que aquí era posible "ser muchas cosas en el curso de una sola vida". El modelo de este deseo era la figura de Vicente Pérez Rosales. Es claro que Cristián Huneeus no llegó a ser el chileno aventurero total de Pérez Rosales, pero en algo se le aproximó: fuera de la literatura y de la academia (fue uno de los fundadores del Instituto de Estudios Humanísticos de la Universidad de Chile), se dedicó a la agricultura, primero como administrador del fundo familiar en La Granja y luego como cultivador de paltas en Cabildo. Desde este lugar escribió, a principios de los años ochenta, crónicas semanales para el diario *La Razón* –"el vocero de Petorca"–, las cuales fueron más tarde compiladas, junto a otros escritos, en el libro *Artículos de prensa*.

Curiosamente, Huneeus consideraba que esos textos sólo tenían interés local y que ni siquiera podrían ser recibidos en Santiago; les restaba méritos reales, quizás a causa de la propensión del cronista a minimizar su voz ante los renovados estímulos de la vida circundante. Sin embargo, vemos ahora que estos escritos de provincia no sólo han salvado la distancia sino también el tiempo. Sus temas son, como lo prescribe el género, numerosos y asistemáticos: modalidades lingüísticas, dientes de oro, visitas de escritores, suministro de agua, erratas tipográficas, conducta de los caballos, autores de su preferencia, anotaciones sobre un ermitaño de Las Chilcas, el carácter de los ingleses, Zalo Reyes.

Otra de sus crónicas significativas –publicada en la revista *Hoy*– se refiere a ese árbol vaporoso llamado ilang-ilang. El autor se fijó por primera vez en uno de ellos al mirar al paso un jardín de la Gran Avenida; pensó volver para pedirle al dueño unas patillas, pero al llegar a Cabildo se dio cuenta de que muy cerca de su casa había cuatro o cinco ejemplares que nunca había advertido. "Es extraño", escribe: "Uno vive sin ver las plantas. Las encuentra una vez y las encuentra para siempre. Sucede con los libros, con el arte, con las ideas y con las personas. Sucede, principalmente, con esa persona tan importante para la propia historia que es uno mismo. El proceso de ver y ver de nuevo por primera vez no tiene término". Este "reconocimiento de lo desconocido" es importante en la narrativa suscrita por Huneeus, y fue el concepto, según su propio testimonio, del que se valió en una ocasión para explicarles a un grupo de rotarios el valor de una obra como *Martín Rivas*, sin demasiado éxito por lo demás. Según él, la novela de Blest Gana no sería relevante para nosotros "si no estuviera representando algo que no se hubiera representado antes en esa forma" y que, sin embargo, ofrece una experiencia de reconocimiento profundo.

La idea, igualmente, puede ser aplicada a sus crónicas. Da lo mismo que el cronista nos hable de cuestiones banales o circunstanciales; es su punto de vista el que logra darles profundidad a los temas al asociar lo inmediato y lo remoto: las podas municipales de Cabildo, por ejemplo, con las evocaciones de los plátanos orientales de la calle Lyon de otro tiempo, dejando de paso un documento sobre la abstrusa psicología arbórea del chileno. Da lo mismo que el cronista nos hable –como nos han hablado tantos cronistas– de caracteres, de ciudades o de lateros. La aceptación del mundo reconocible en la prosa de Cristián Huneeus incluye la posibilidad de mirar cualquier escena callejera de todos los días como si fuera la primera vez. Si escribe sobre la mil veces mentada Nueva York, nos muestra –sin aspavientos– una cara de la ciudad que evidentemente desconocemos, pero que parecíamos a punto de adivinar. Su definición de Buenos Aires nos dice lo que probablemente hemos pensado muchas veces, aunque de un modo admirablemente sintético: "Esa húmeda y luminosa maravilla de la civilización, ejemplo nunca visto, y por lo mismo doblemente ejemplar, de la traducción, el traslado, la copia, la imitación y la adopción de lo europeo elevado a la categoría metafísica de lo auténtico".

El Huneeus de las crónicas es un autor con el que uno puede establecer una inmediata intimidad, y al que hay que agradecerle algunas cosas: su humor; su inteligencia, que compromete la nuestra, y su prescindencia de énfasis y de ideología. Y también, por cierto, su consideración con el lector: el hecho de que al hablarnos sobre Stevenson, Lezama Lima o sobre un clavo en la pared se dirija a una persona normal y no a un técnico o a un tonto.

Marcelo Matthey contra
los fines de semana

Hace ya demasiados años encontré un libro de Marcelo Matthey Correa en el subterráneo de la librería Pax, en la calle Huérfanos. Todo lo que se liquidaba en ese lugar a precio de huevo tenía el sello de lo inútil: manuales de reparación de radios a tubos, informes de los años cuarenta sobre tratamientos de diálisis en perros y otros volúmenes como *El almanaque del ganadero para 1956* o *El gallinero en casa*.

En un rincón poco visible de ese purgatorio estaba *Sobre cosas que me han pasado*, que Matthey había publicado hacía poco, en 1990. Saqué el libro del anaquel, leí un par de párrafos, lo cerré, subí la escalera, pagué rápido y salí a la calle con la extraña emoción de haber descubierto una isla lumínica en un maremágnum de miasma.

Más tarde supe que existía otro libro del autor, titulado *Todo esto me sucedió entre diciembre de 1987 y marzo de 1988*. Después nos conocimos brevemente en la Sala Elefante de la Facultad de Artes de la Universidad de Chile, pero no intercambiamos más palabras que las necesarias al saludo.

La sensación de benéfica claridad de la escritura de Matthey me surge también hoy cuando releo sus libros. No conozco otro caso en la literatura chilena en que la realidad esté cifrada por exposición directa. Las cosas, las acciones, los movimientos, las conversaciones, aquellas singularidades con las que se teje nuestra vida diaria, están en esos textos presentados, por decirlo así, sin el ruido anexo de los pensamientos.

Lo que Matthey logra configurar en estas especies de diarios es un registro hipnótico de una vida común o al menos verosímil. No divide, no clasifica, no contextualiza y ni siquiera ostenta el afán de mostrar: simplemente *dice lo que hay*. Se puede pensar que sus caminatas por Santiago o sus desplazamientos a la playa en bus carecen de intención visible. Sin embargo, a veces el narrador, personaje o voz de los textos deja entender que busca algo: algo que está a punto de serle revelado en el fondo de un cité o más allá de un montón de dunas deshabitadas, pero al final ese algo nunca llega a ser aprehendido.

En una entrevista realizada en el 2000 por Cristóbal Joannon, Marcelo Matthey –dedicado en ese momento a la antropología en Valdivia– confesó su fobia a los fines de semana porque sólo aparecen, según él, para cortar la continuidad. El punto es clave: Matthey parece pasar por la existencia cotidiana con una conciencia hipertrofiada de los minutos. Cada día ve las cosas como si se le aparecieran por primera vez. Por lo tanto, sus registros casi automáticos de la realidad inmediata –lo que inexorablemente se va deshaciendo en la medida en que sucede– tiene el sello un poco distorsionado de los recuerdos que se presentan a la conciencia sin anuncios ni motivaciones aparentes: la boca en forma de "o" de un cantante de coro, el lanzamiento de un "volador" una noche de año nuevo, el nombre de un político escrito en una pared.

No es raro que un escritor de esta naturaleza hubiese vuelto al silencio desde el cual alguna vez hizo ademán de asomarse. Es posible que como lord Chandos, ese otro sustraído, haya abandonado la literatura. O bien puede ser que en la distancia y en el cuasi anonimato haya seguido en los últimos años fijando por escrito la exigua catadura de la experiencia.

EL LUGAR DE LOS MUERTOS
"VOCES DE ULTRATUMBA", DE MANUEL VICUÑA

Es un hecho que los muertos no se extinguen de un día para otro. Su estela psíquica continúa, tras el lance fatal, desplegándose en alguna parte que no sabemos cuál es, aunque sospechamos donde podría ubicarse. Recibimos la visita de los muertos en nuestros sueños, se nos aparecen en los recuerdos súbitos y nítidos –en las sensaciones de inminencia inexpresable que a veces nos ocupan la mente–, e incluso en ocasiones nos sorprendemos conversando unilateralmente con ellos cuando nadie nos ve.

Los relatos de penaduras, además, no han variado en doscientos años. Contamos con relatos actuales, de primera fuente, y en ellos los muertos –o su representación: las almas en pena– describen conductas muy similares a las que refirieron los testigos de épocas pasadas: se pasean ingrávidos a una distancia visible en el momento previo al amanecer, golpean puertas, botan objetos, prenden y apagan luces o dejan oír en mitad de la noche una voz lacerante. Es asombroso el modo en que los motivos de estos relatos se reproducen de manera idéntica en tiempos y lugares distintos. Hay, en este sentido, cuatro o cinco tipos universales de experiencia. Entre ellas, el hombre que se aparece ante sus familiares en el mismo momento en que muere en otro lugar, o la acción de los así llamados "espíritus elementales", a veces identificados con los duendes: entidades proclives a las bromas infantiles, que pueden molestar, según los entendidos, pero no hacer daño.

La necesidad de asomarnos a la frontera de la vida sigue siendo acuciante para nosotros, no obstante nos enfrentemos en ese trance a un espejo negro y confuso. Se podría concluir que no sabemos nada de nada. No sabemos por qué estamos vivos, no sabemos siquiera –escribió Jung– qué es la conciencia.

Cuando Manuel Vicuña me contó hace un par de años que se proponía escribir la historia del espiritismo en Chile, pensé que yo tenía algunos vislumbres sobre el asunto. Había vivido en una casa famosa por las penaduras, situada, según el mito familiar, sobre un antiguo cementerio eclesiástico; mi propio abuelo había pertenecido en su juventud a un círculo espiritista –o "espirita", como se escribía antes– al cual renunció frente a la perspectiva de volverse loco precozmente: una novia suya, que agonizaba en la sala de un hospital, se presentó ante él en calidad de fantasma, lo tomó de la mano y lo condujo hacia la calle, donde desapareció. Hubo también otro hecho traumático para él: en medio de una sesión vio cómo una mesa perseguía violentamente a una de las mujeres del círculo mediúmnico. En otra oportunidad, ahora recuerdo, entró sin saber a una casa en la que había vivido, en Chillán, y vio en un rincón a un niño que lo miraba: era él mismo, treinta años antes.

Todas estos cuentos no hacen más que engrosar el libro local de la anécdota. De hecho, no se puede hacer mucho más con ellos que contarlos en noches desapacibles, a ver si le producen miedo a alguien. Mucho tiempo después de morir mi abuelo –período en el cual no tuvo a bien manifestarse ante sus seres queridos– pude darme cuenta, revisando los libros que dejó, que el espiritismo no sólo consideraba una colección de hechos fabulosos o ridículos, sino que constituía, por expresa voluntad de sus detentores, una doctrina.

Estos libros eran mayoritariamente aburridos, declarativos, incluso –en relación a las sucesivas etapas de elevación del alma– burocráticos. No elaboraban nada parecido a una metafísica ni dejaban temblando ante el lector las ondas expansivas del misterio. Parecía, en general, que sus autores conocían el otro mundo o el más allá del mismo modo en que un mecánico conoce los vericuetos de un motor. Se trataba de textos insatisfactorios, inflados muchas veces con retórica postromántica y que utilizaban signos de exclamación y mayúsculas cada vez que mencionaban la palabra "luz". Recuerdo, en una rápida revisión bibliográfica, obras de Annie Besant, de Allan Kardec, de un tal Hilarius IX, y las memorias de doña Amalia Domingo Soler, la primera parte redactada por la señora en vida y la segunda dictada por ella misma desde el espacio.

Cuestiones como éstas están presentes en *Voces de ultratumba*, el libro de Manuel Vicuña, aunque tocadas un poco a la pasada. Él mismo me explicó, en posteriores conversaciones, que disponer de las actas del círculo espiritista de Victoria Subercaseaux lo complicaba, en tanto había en esos documentos demasiado material anecdótico, y la anécdota era un camino que no quería seguir.

Entendí, leyendo el libro, en qué dirección estaban orientados sus escrúpulos. Vicuña sobrevuela o pasa de largo por la tradición espiritista familiar chilena en sus aspectos domésticos, tantas veces celebrada en los párrafos de los memorialistas. A mi entender, lo que le interesa principalmente es confeccionar un mapa psicológico del país en un momento preciso –el anterior cambio de siglo– y establecer todos sus puntos, conexiones y filiaciones. Habiendo leído alguna vez en *Zig-Zag* un texto incendiario del sacerdote Omer Emeth contra las prácticas espiritistas, no había llegado a comprender –hasta que Vicuña me lo aclaró en su libro– el modo particular en que la invocación de los muertos se perfilaba como una alternativa a la doctrina de la Iglesia: una respuesta a la duda existencial más escarnecedora y un consuelo experiencial ante la universalidad de la muerte. Igualmente, me sorprendió su observación de que el espiritismo estaba incorporado en una corriente que abominaba del materialismo en boga en el siglo XIX, si bien reservaba para sí y para sus adeptos la gloria de la comprobación empírica.

Sigo con las sorpresas: si bien el método que emplea Manuel Vicuña para estructurar sus libros –lo vimos en sus anteriores investigaciones sobre las elites femeninas y sobre la retórica– evita minuciosamente incurrir en "lo literario" –es decir, se niega a subirse a la montaña rusa de la imaginación–, su escritura resulta singularmente magnética: el autor utiliza, al escribir, frases circulares, que vuelven parcialmente hacia lo dicho y luego lo sueltan para pasar a otra cosa. El resultado es un extraño tejido intelectual, invariable e hipnótico como la repetición de un mantra.

Yo no hablaría, en su caso, de rigor investigativo. Ésta es una categoría que puede resultar antipática desde el momento en que cualquier trabajo mediocre puede refugiarse tras su escudo. Es otro el espíritu que alienta las páginas de Manuel Vicuña: una especie de disposición fenomenológica que permite al historiador internarse en su tema de fondo como un viajero lo hace en un territorio desconocido y fascinante.

No creo que esta distinción exista, pero me da la impresión de que hay historiadores abiertos y cerrados, y que Vicuña pertenece a la primera clase. Un historiador abierto sería –en una definición improvisada– aquel que sigue primordialmente sus intuiciones y está más cerca de descubrir que de comprobar o de persuadir.

La moda espiritista de fines del siglo XIX y comienzos del XX no es, por cierto, un fenómeno chileno. De hecho, Vicuña establece su nacimiento en Estados Unidos, en la década de 1850. Un temprano artículo de Roberto Arlt nos avisa también que hacia 1930 ya estaba instalada en Buenos Aires, y sabemos que individuos más o menos connotados en su momento cedieron ante las respuestas ofrecidas por la certidumbre espiritista. El pintor Monvoisin, por ejemplo, o incluso, a su modo, Henry James, hermano del autor de *Las variedades de la experiencia religiosa* y autor él mismo de varios relatos en que los muertos se rozan con los vivos. El más célebre parece ser *Otra vuelta de tuerca*, cuya maravilla reside en que nunca sabemos si las apariciones sobrenaturales ocurren "en realidad" –estoy obligado en este caso a poner la expresión entre comillas– o se proyectan en el telón de la conciencia de la narradora.

Arthur Conan Doyle, igualmente, fue abducido por la corriente espiritista y por la seducción de los muertos. Sus cuentos de ultratumba, en cualquier caso, resultan increíblemente más previsibles y mucho menos misteriosos que las terrenales aventuras de Sherlock Holmes. Sus textos sobre la existencia de las hadas –basados en una serie de fotografías contemporáneas en que supuestamente se las registra– no logran convencer a nadie de sus hipótesis.

Lo último: no alcanzo a calibrar las dimensiones de mi ignorancia, pero el mundo institucional, político y religioso cuya estructura revela Manuel Vicuña en su libro me resultaba totalmente desconocido. Es, me imagino, una de las virtudes del historiador: mostrarnos una ciudad enterrada en el lugar donde para nosotros no había más que tierra, piedras y unas cuantas alambradas de púas.

Es curioso que en su libro anterior –*Hombres de palabras*– Vicuña haya investigado también un asunto extinguido: la resonancia de los grandes retóricos del período mencionado, resplandor que murió con su época en tanto estaba confiado más en la puesta en escena que en el valor de la letra manuscrita o impresa. Es evidente que la retórica sobrevive hoy en los estamentos de nuestra sociedad donde la palabra aún debe ser "tomada" –parlamento, academia, asociaciones diversas–, pero ha variado su prestigio, su importancia y sus efectos.

En el libro que nos ocupa, asimismo, la cercanía más o menos favorable de los espíritus de los muertos devela un "tejido cultural" rasgado por la incomodidad religiosa y por la necesidad incipiente de organización social autónoma. Sin la sistemática invocación de Vicuña, esta parte de nuestra historia hubiera seguido siendo para nosotros una zona desconocida y, aun más, ni siquiera intuida. Para ello, el historiador ha descubierto –bajo el polvo de los años– documentos de segundo grado: actas de clubes espiritistas, memorias íntimas, folletos de divulgación de la doctrina, artículos a favor y en contra de las prácticas prospectivas con el más allá.

De este modo, las últimas décadas del siglo XIX y las primeras del XX se nos aparecen más complejas de lo que pretende nuestro reduccionismo, mediante el cual hemos visto convencionalmente al espiritismo como una pura colección de supercherías que poco nos alumbraban sobre la vida colectiva de nuestros antepasados directos.

El último libro

A veces pienso que la literatura ha sido, en mi caso, un camino equivocado. Miro los libros de los estantes y me pregunto cómo he juntado tantos y para qué. Un eventual cambio de casa me obligaría nuevamente –una vez más en la vida– a hacerme cargo de la ordalía de embalarlos. Las cajas con libros son la carga más pesada de las mudanzas. Hay períodos en que los libros en sus filas parecen no ofrecer nada a la curiosidad: sólo absorben la luz y exhalan un olor acidulado y rancio.

La decisión de dedicarme a escribir fue en rigor tomada hace ya demasiado tiempo por un niño de quince años. Podría haber sido cualquier otra, el fútbol o la ciencia, pero ese niño que hoy apenas reconozco se empeñó tozudamente en la idea de que el universo de las palabras impresas constituía un destino verosímil, hermoso, deseable. "The man who returns will have to face the boy he left", escribió Eliot en una de sus obras dramáticas: el hombre que vuelve deberá enfrentar al niño que dejó. En eso estamos en este momento.

La literatura tiene una característica alarmante: el hecho de que el impulso de abandonarla es de por sí un motivo literario, un pretexto o tema para seguir escribiendo. Uno de los tratados más certeros sobre la experiencia poética –esa experiencia tan difícil de concebir para quienes no han pasado por ella– es la *Carta de lord Chandos*, de Hofmannsthal, donde se declara precisamente la voluntad del narrador de abandonar la poesía.

Habría que hacer el siguiente experimento: convencerse a sí mismo, al iniciar la escritura de un libro, de que se trata del último. Sin duda, en virtud de este supuesto, aparecerían en el proceso cuestiones impensadas, esenciales como las cláusulas de un testamento. Se dejarían fuera las tonteras sentimentales, la autocompasión, la pretensión intelectual, el moralismo y la sonajera.

En un trance parecido sorprendí una vez, hará unos diez años, al librero y poeta César Soto, en el cubículo anexo a su librería del barrio Lastarria. Estaba frente a una máquina de escribir y me dijo que ya estaba aburrido de un mundo dominado por el lumpen político, por el lumpen económico y por el lumpen eclesiático, y que el libro al que estaba dedicado sería su último gesto público antes del ostracismo. Creo que ha cumplido su palabra, o al menos nunca más lo he visto desde entonces.

A veces, entonces, me siento a distancia remota de los libros y de la discusión literaria. No quisiera más que cerrar el departamento y partir por la carretera a cualquier parte, más bien hacia el sur, y tener para mí una perspectiva interminable de campos transitorios, de fábricas lejanas, de bosques húmedos y oscuros, y de pequeños pueblos por los que se pasa de noche sin averiguar el nombre. Pero, a pesar de que este viaje tendría como objetivo descargarse de las palabras –de las cenizas, el moho y las esquirlas de las palabras–, sé que tarde y temprano terminaría escribiendo o por lo menos pensando en cómo dar cuenta por escrito de esa experiencia del abandono.

ÍNDICE